Disney

인어공주

OST 피아노 연주곡집

KB056048

Special Sheet

©Disney

Disney

인어공주

Part of Your World

저곳으로

하워드 애쉬먼 **작사**
앨런 멩컨 **작곡**

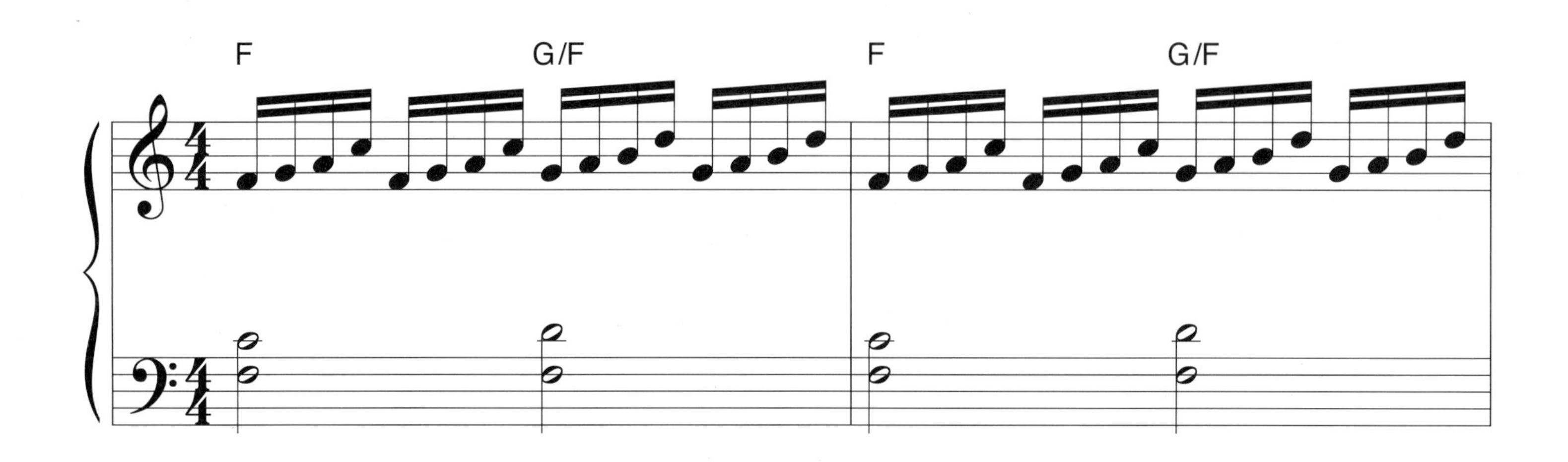

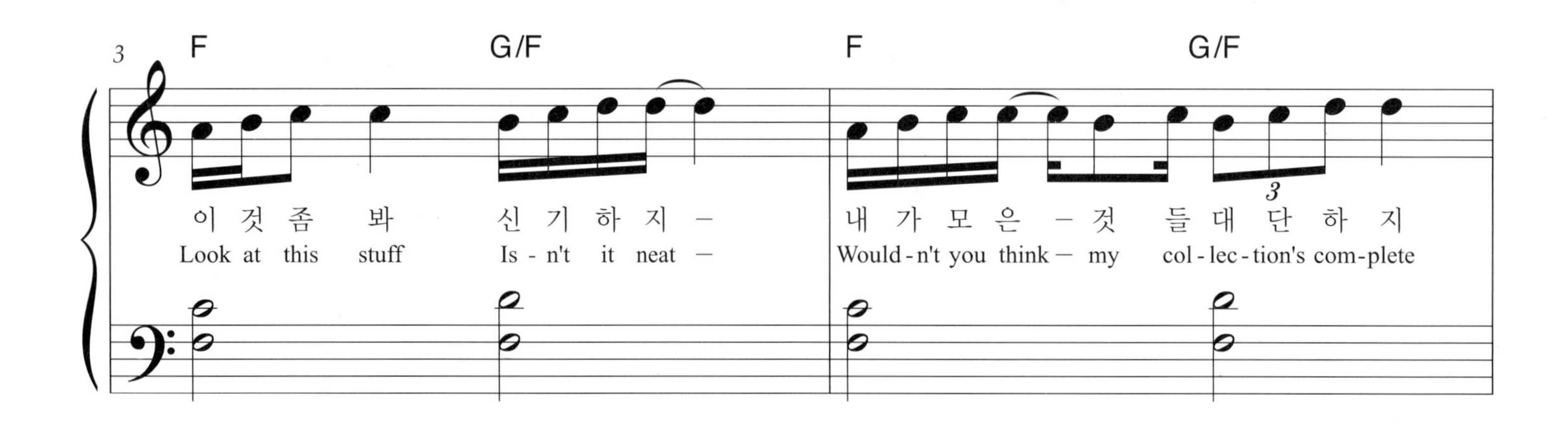

7
F G/F F G/F
3 3 3 3 3
이 것 좀 봐 아 름 답 고 신 비 한 물 건 들 바 라 보 면
Look at this trove trea - sures un - told How ma - ny won - ders can one ca - vern hold

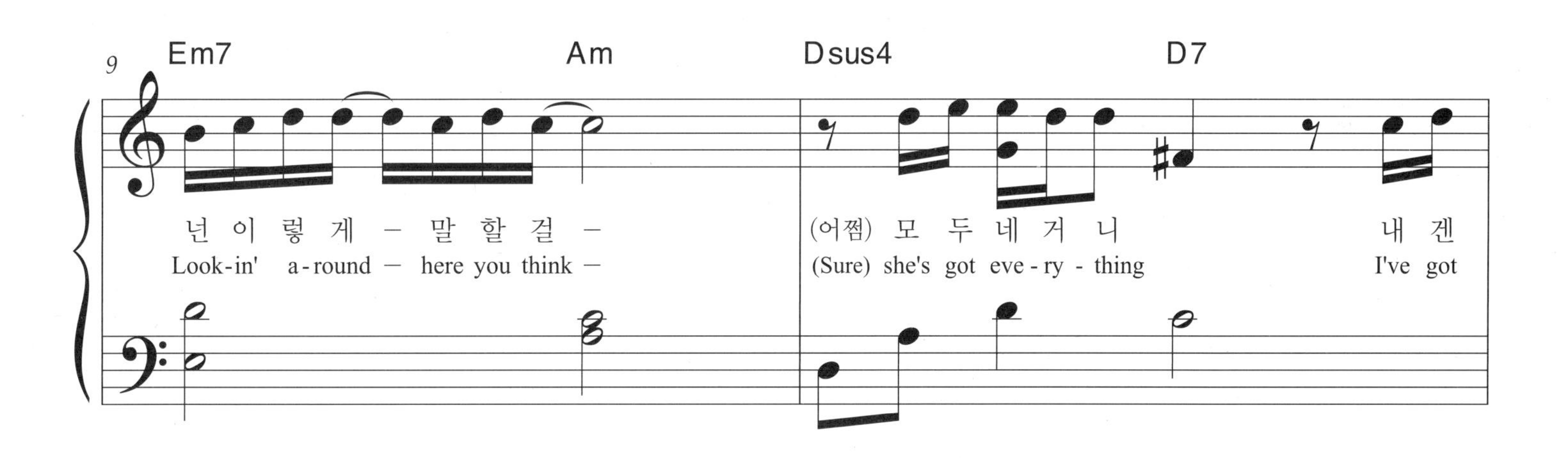
9
Em7 Am Dsus4 D7
넌 이 렇 게 – 말 할 걸 – (어쩜) 모 두 네 거 니 내 겐
Look-in' a-round – here you think – (Sure) she's got eve - ry - thing I've got

11
FM7 C/E Am Dsus4 D
3 3 3 3
재 밌 는 것 들 도 많 지 아 주 귀 하 고 별 난 것 도 (너도 한번 볼래?)
gad - gets and giz - mos a - plen - ty I've got who - zits and what - zits ga - lore (You want thingamabobs?)

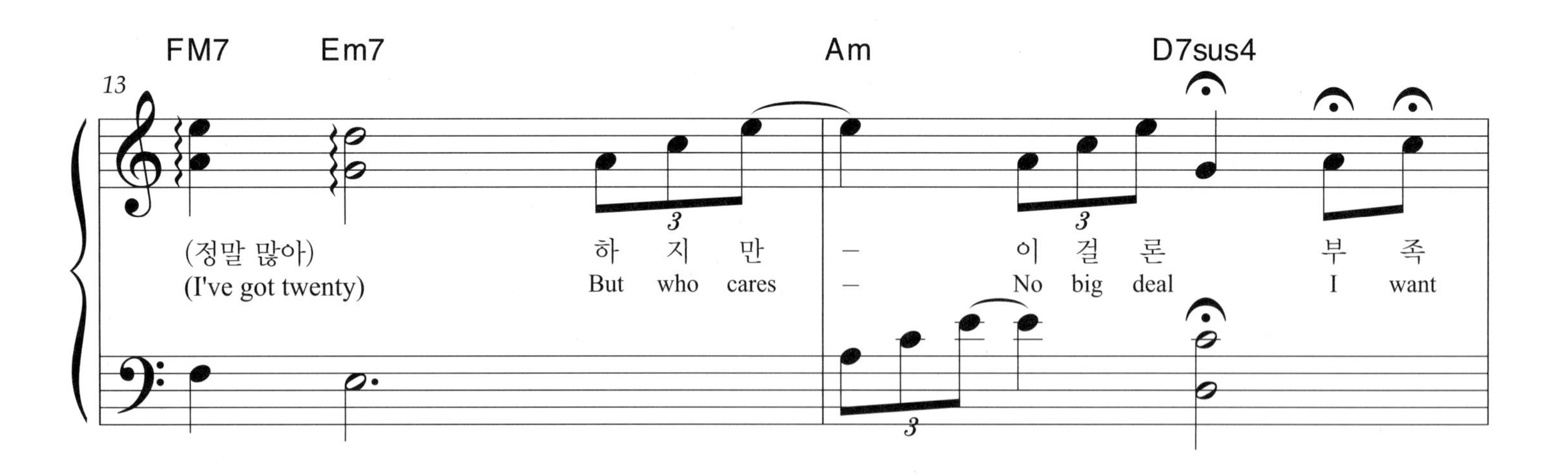
FM7 Em7 Am D7sus4
13
(정말 많아) 하 지 만 – 이 걸 론 부 족
(I've got twenty) But who cares – No big deal I want

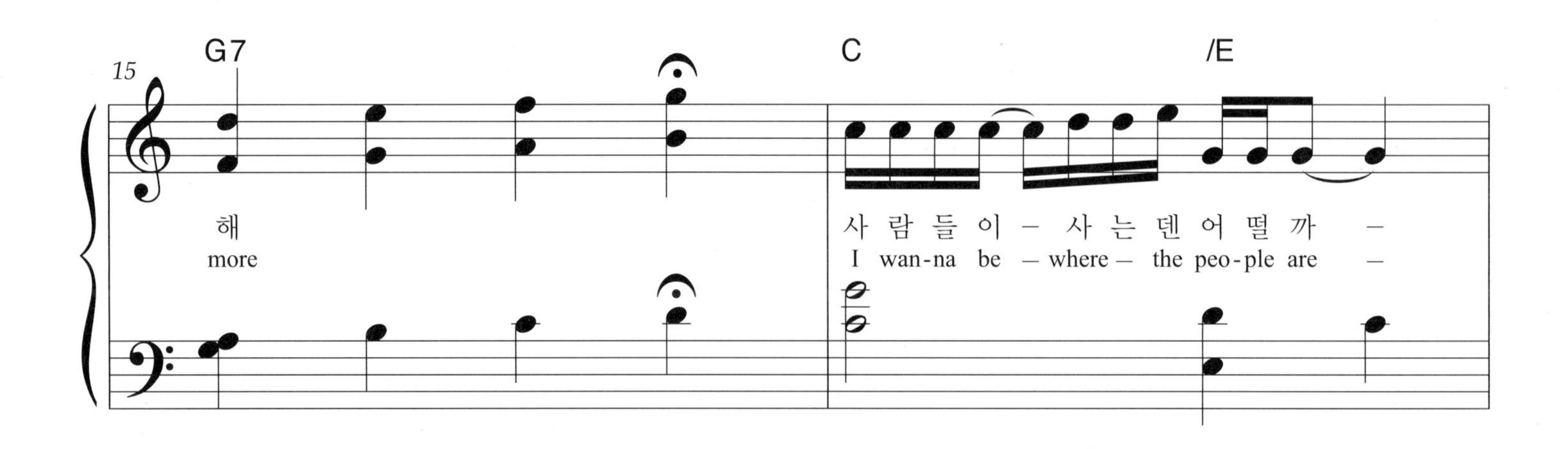
G7 C /E
15
해 사 람 들 이 – 사 는 덴 어 떨 까 –
more I wan-na be – where – the peo-ple are –

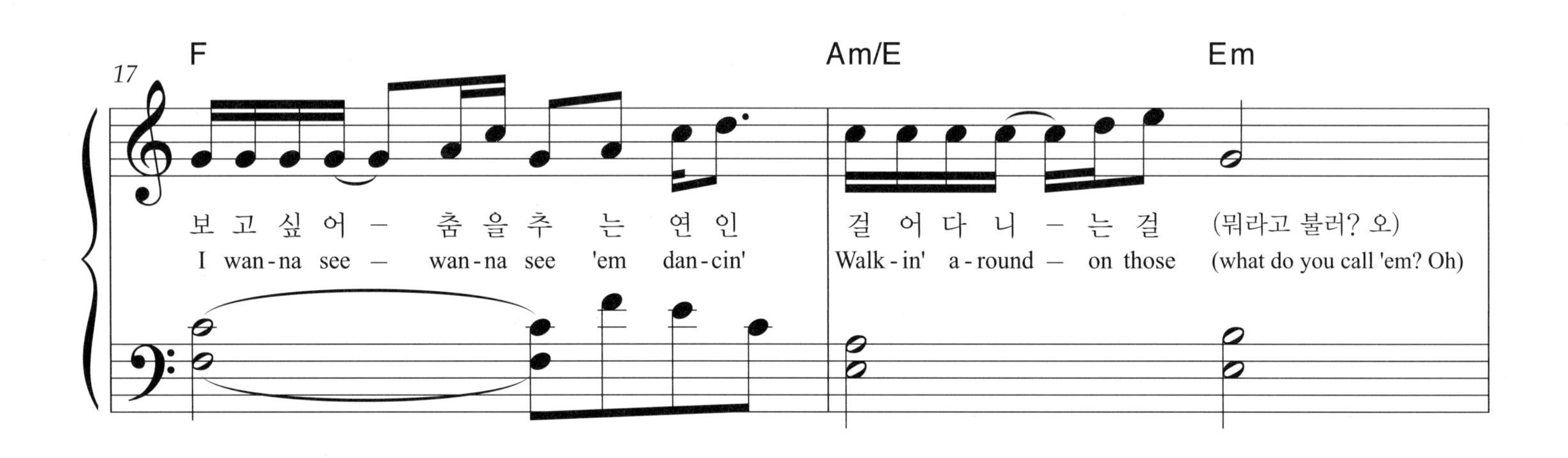
F Am/E Em
17
보 고 싶 어 – 춤 을 추 는 연 인 걸 어 다 니 – 는 걸 (뭐라고 불러? 오)
I wan-na see – wan-na see 'em dan-cin' Walk-in' a-round – on those (what do you call 'em? Oh)

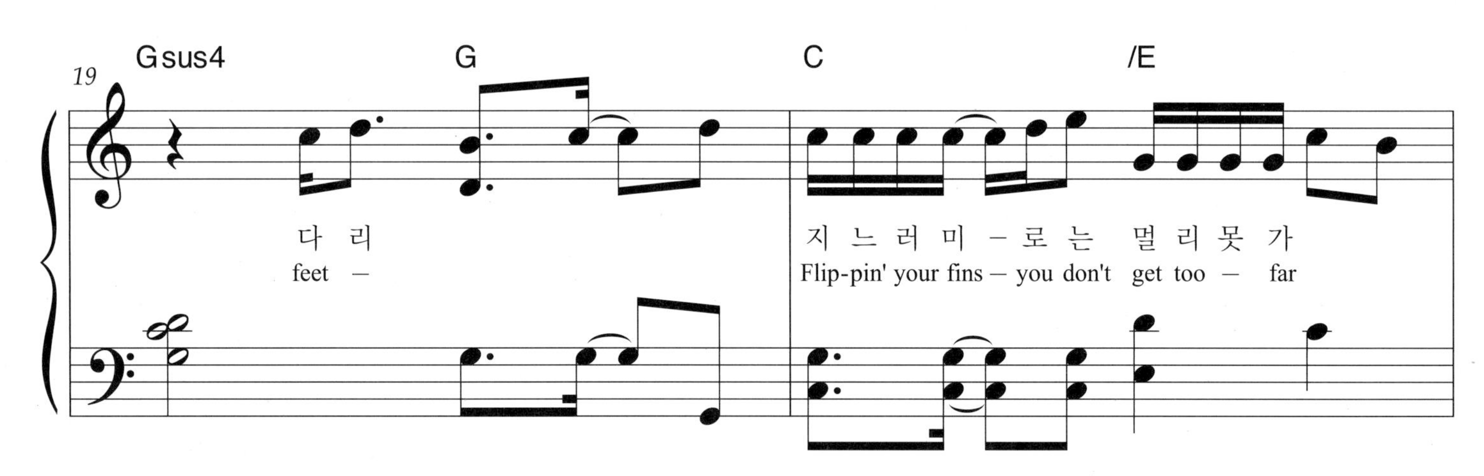
Gsus4 G C /E
19
다 리 지 느 러 미 – 로 는 멀 리 못 가
feet – Flip-pin' your fins – you don't get too – far

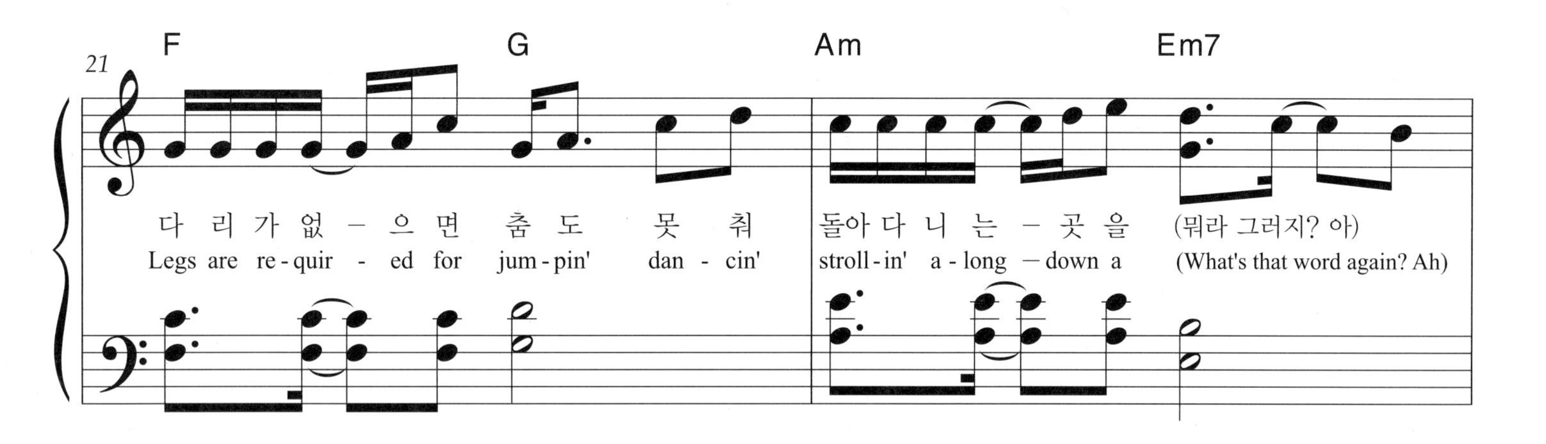
21
F G Am Em7
다 리 가 없 - 으 면 춤 도 못 춰 돌아 다 니 는 - 곳 을 (뭐라 그러지? 아)
Legs are re - quir - ed for jum - pin' dan - cin' stroll - in' a - long - down a (What's that word again? Ah)

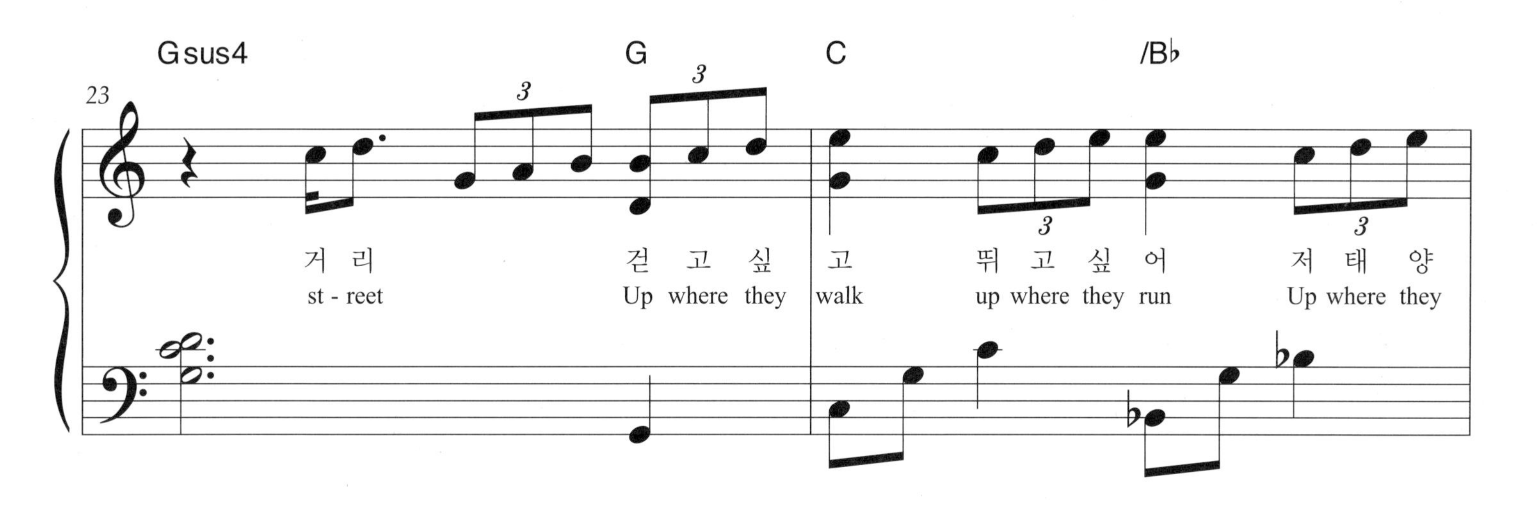
23
Gsus4 G C /B♭
거 리 걷 고 싶 고 뛰 고 싶 어 저 태 양
st - reet Up where they walk up where they run Up where they

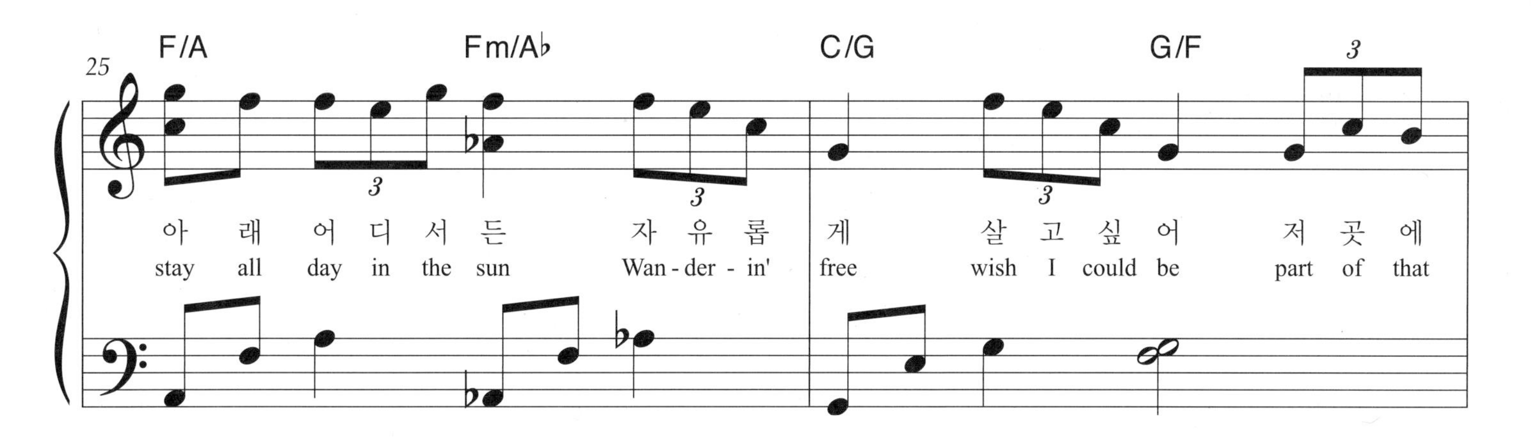
25
F/A Fm/A♭ C/G G/F
아 래 어 디 서 든 자 유 롭 게 살 고 싶 어 저 곳 에
stay all day in the sun Wan - der - in' free wish I could be part of that

27
C F G/F
서 저 밖 으 로 나 가 려 면 어 떻 게
world What would I give if I could live out of these

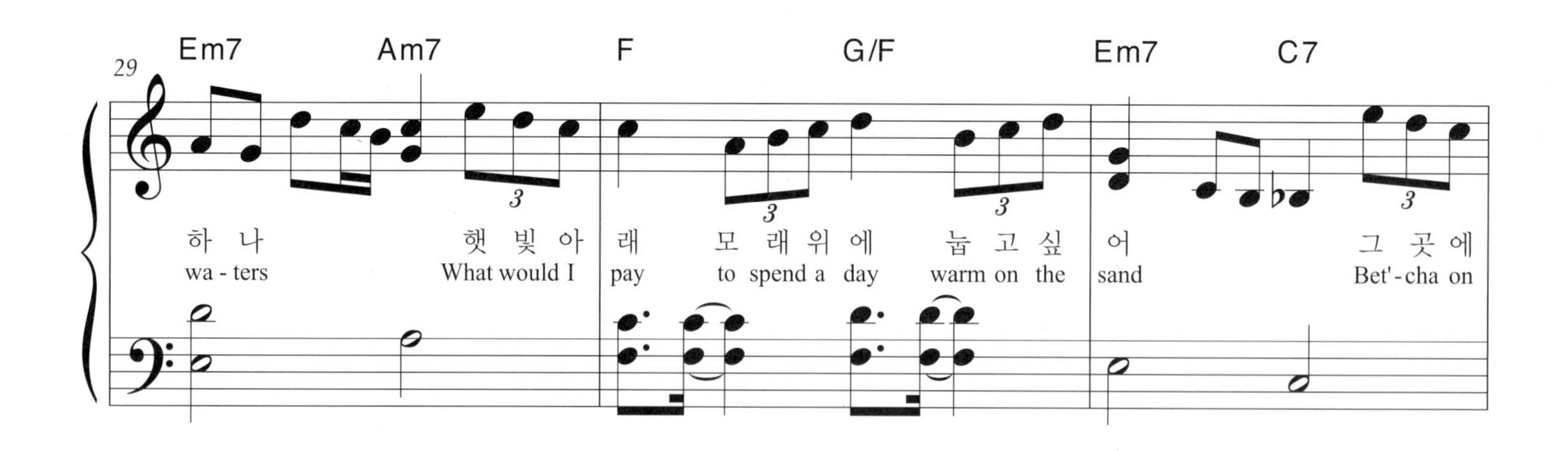
29
Em7 Am7 F G/F Em7 C7
하 나 햇 빛 아 래 모 래 위 에 눕 고 싶 어 그 곳 에
wa - ters What would I pay to spend a day warm on the sand Bet'-cha on

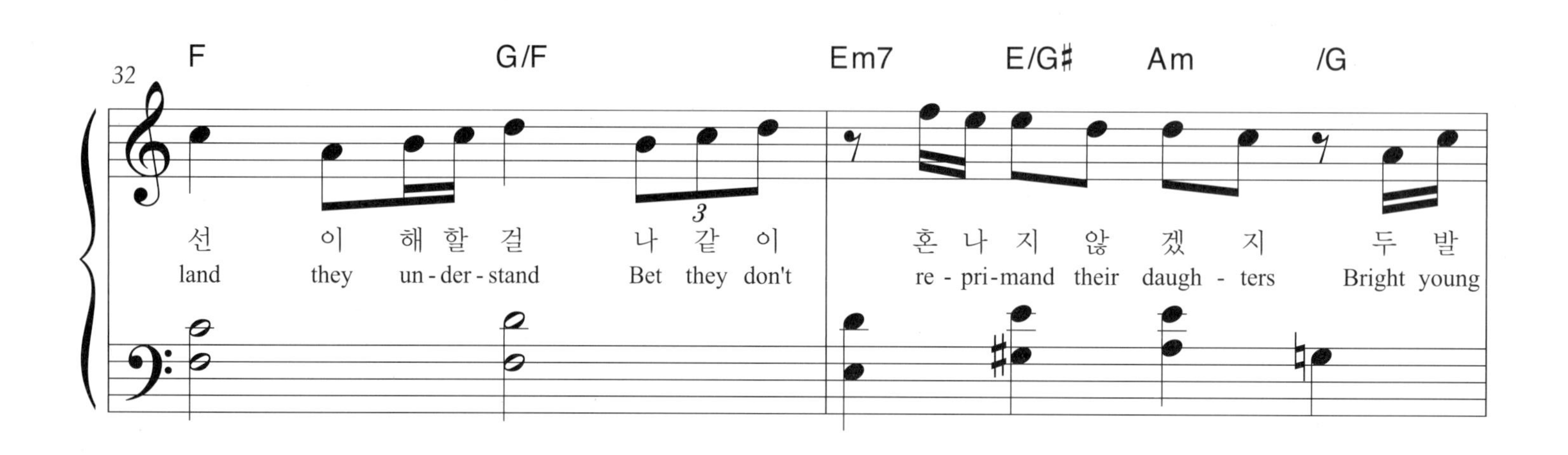
32
F G/F Em7 E/G♯ Am /G
선 이 해 할 걸 나 같 이 혼 나 지 않 겠 지 두 발
land they un - der - stand Bet they don't re - pri - mand their daugh - ters Bright young

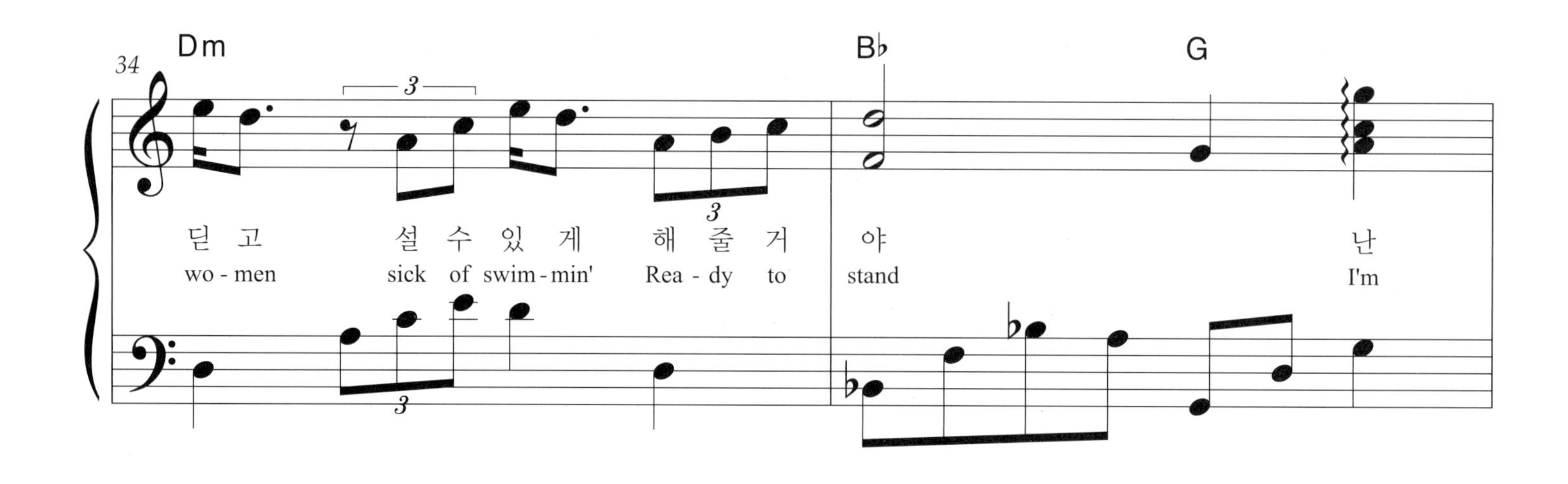
34
Dm B♭ G
딛 고 설 수 있 게 해 줄 거 야 난
wo - men sick of swim - min' Rea - dy to stand I'm

36
C /E F G7sus4
알 고 싶 어 – 세 상 모 든 걸 – 궁 금 한 모 든 걸 묻 고 싶 어
rea - dy to know – what the peo - ple know – Ask - 'em my ques - tions and get some an - swers

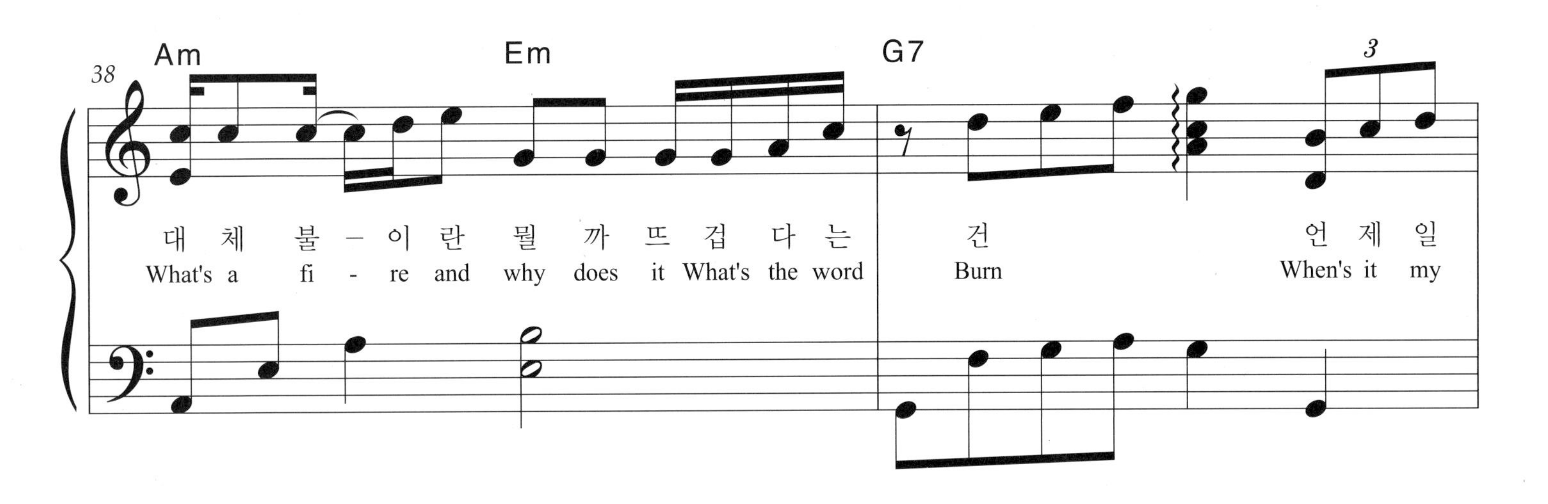
38
Am
Em
G7
대 체 불 – 이 란 뭘 까 뜨 겁 다 는 건 언 제 일
What's a fi - re and why does it What's the word Burn When's it my

40
C
/B♭
F/A
Fm/A♭
까 자 유 로 운 세 상 만 날 수 있 는 그 날 – –
turn Would - n't I love love to ex - plore that shore up a - bove – –

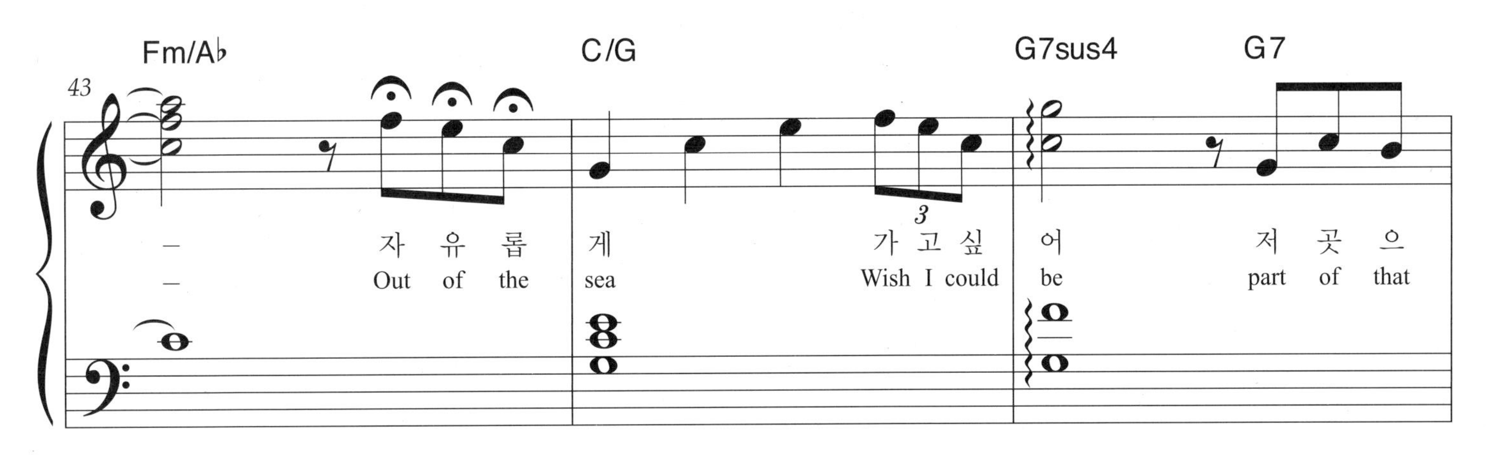
43
Fm/A♭
C/G
G7sus4
G7
– 자 유 롭 게 가 고 싶 어 저 곳 으
– Out of the sea Wish I could be part of that

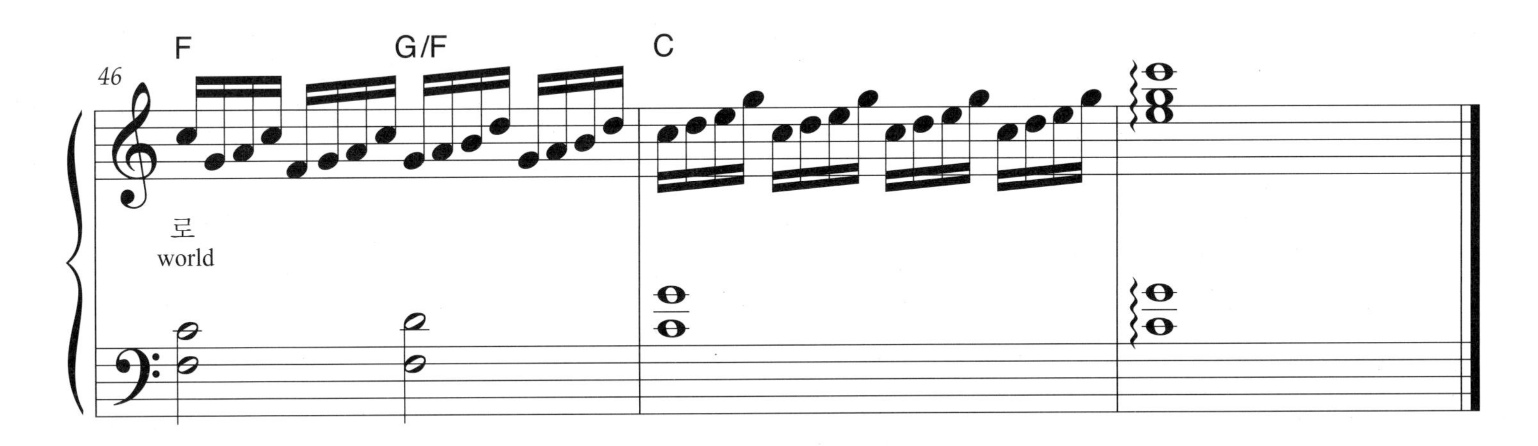
46
F
G/F
C
로
world

Under the Sea

저 바다 밑

하워드 애쉬먼 **작사**
앨런 멩컨 **작곡**

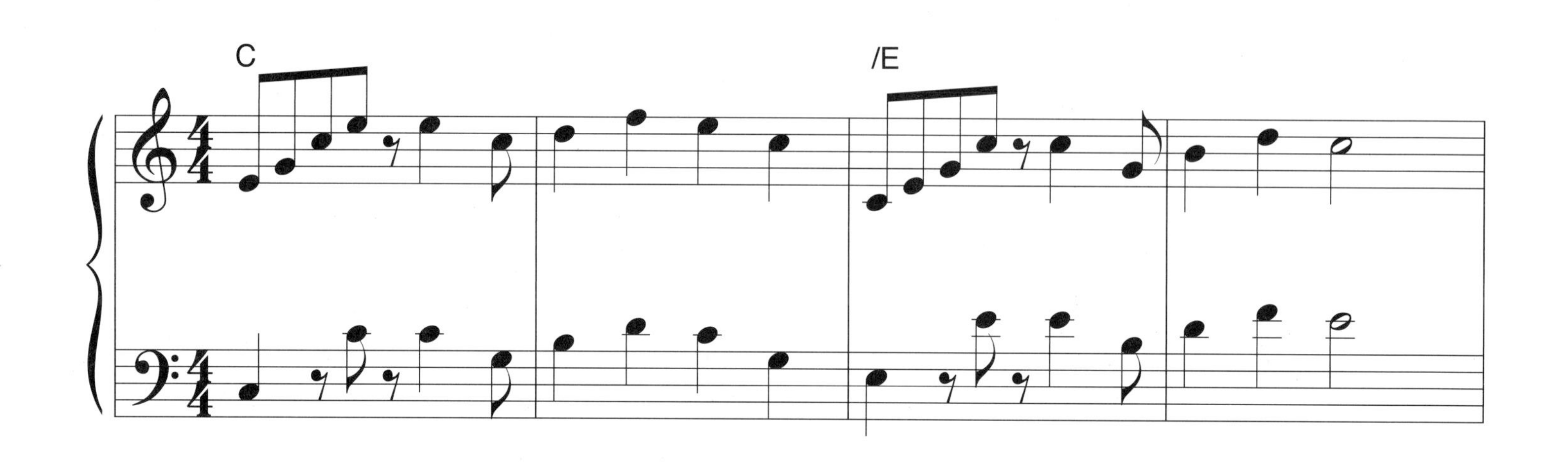

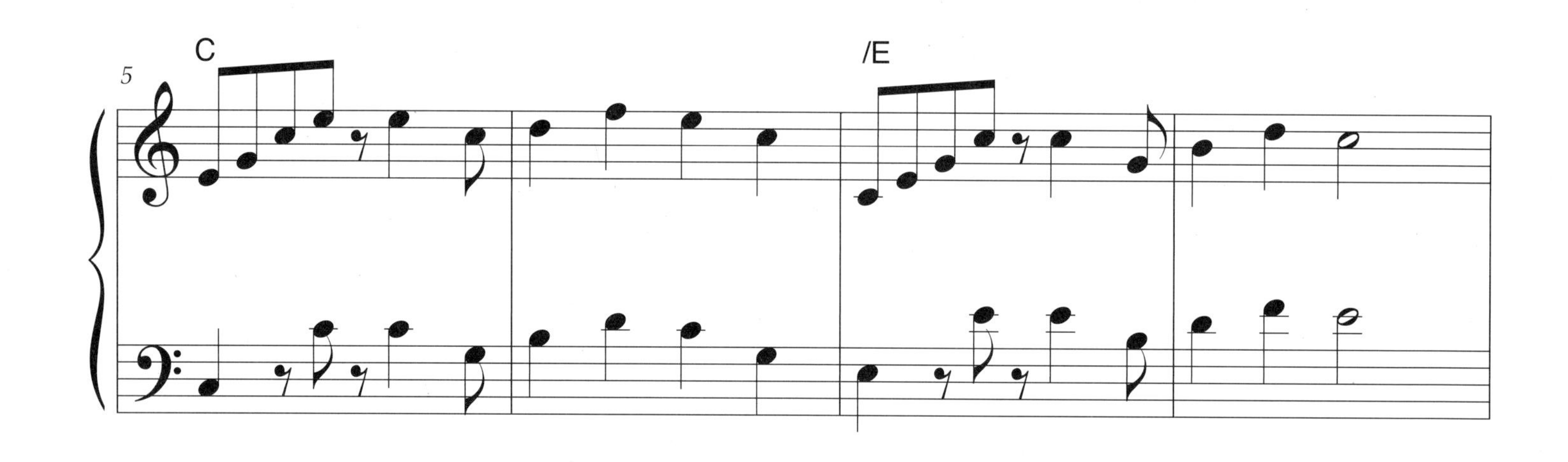

13
C G C G7 C
거 길 직 접 가 본 다 면 실 망 하 게 될 걸 요
You dream a - bout go - ing up there But that is a big mis - take

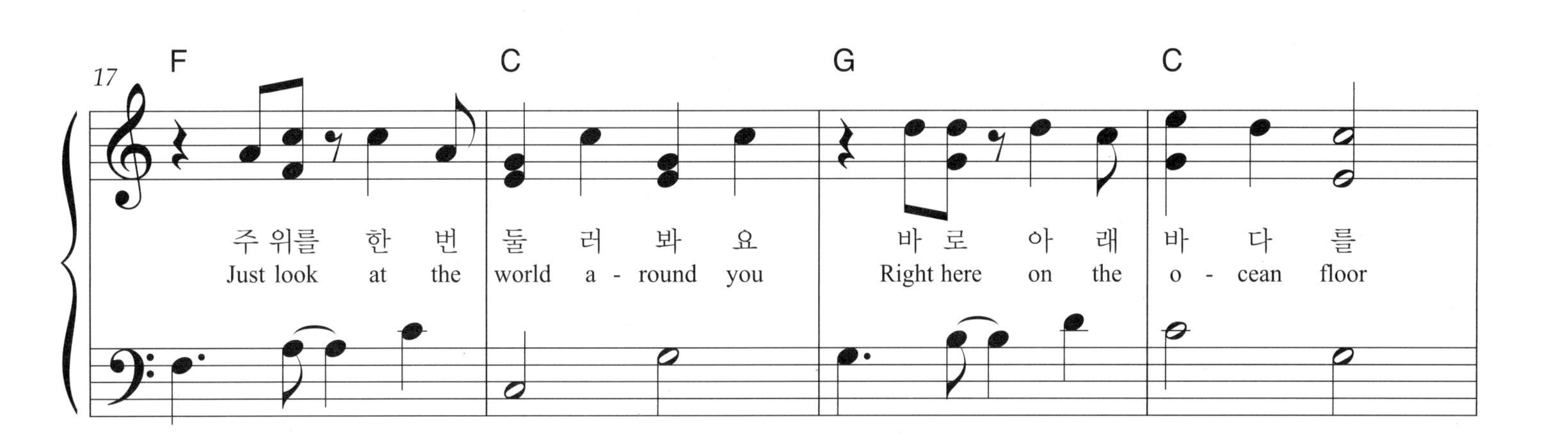
17
F C G C
주 위를 한 번 둘 러 봐 요 바 로 아 래 바 다 를
Just look at the world a - round you Right here on the o - cean floor

21
F C G C
아 름 다 운 물 고 기 들 다 시 한 번 보 세 요
Such won - der - ful things sur - round you What more is you look - in' for

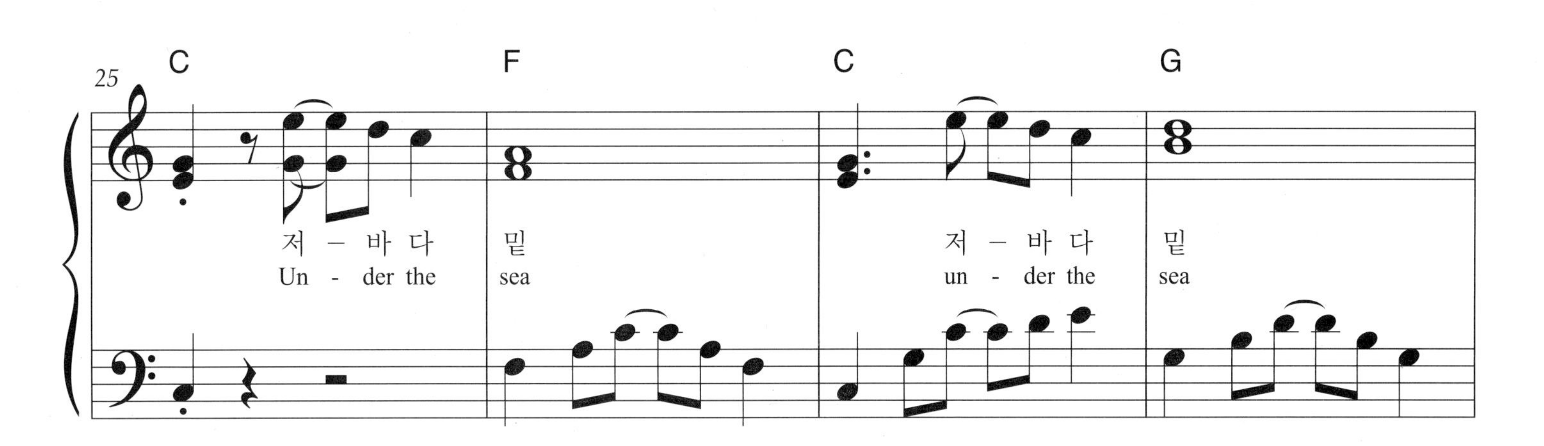
25
C F C G
저 – 바 다 밑 저 – 바 다 밑
Un - der the sea un - der the sea

29
C
F
G
C
축 – 촉 한
바 다 여 – 기 가
최 고 날 – 믿 어
요
Dar - lin' it's
bet-ter down—where it's
wet-ter Take— it from
me

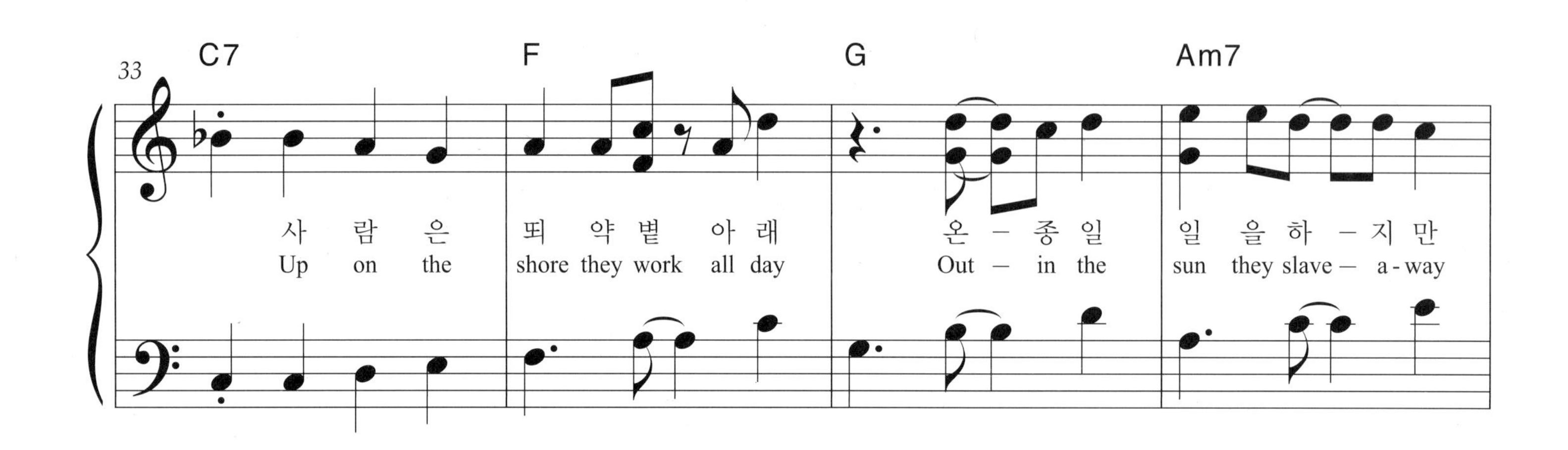
33
C7
F
G
Am7
사 람 은
뙤 약 볕 아 래
온 – 종 일
일 을 하 – 지 만
Up on the
shore they work all day
Out — in the
sun they slave— a-way

37
D
F
G
1. C
우 – 리 는
종 일 헤 – 엄 을
치 지 저 – 바 다
밑
While— we de -
vo - tin' full — time to
floa - tin' Un - der the
sea

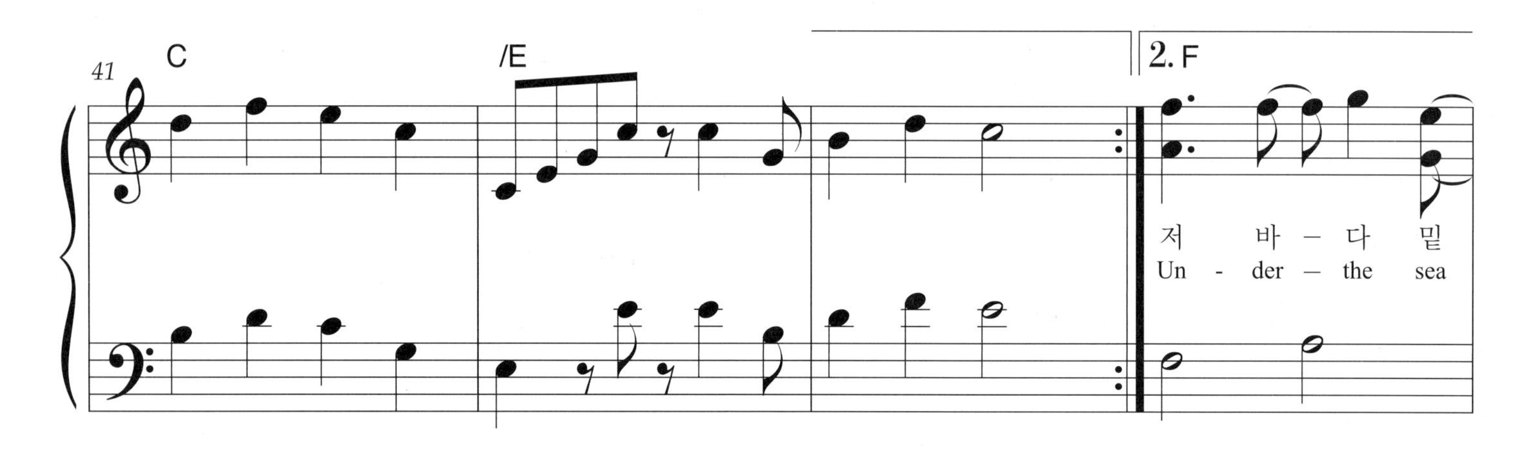
41
C
/E
2. F
저 바 – 다 밑
Un - der — the sea

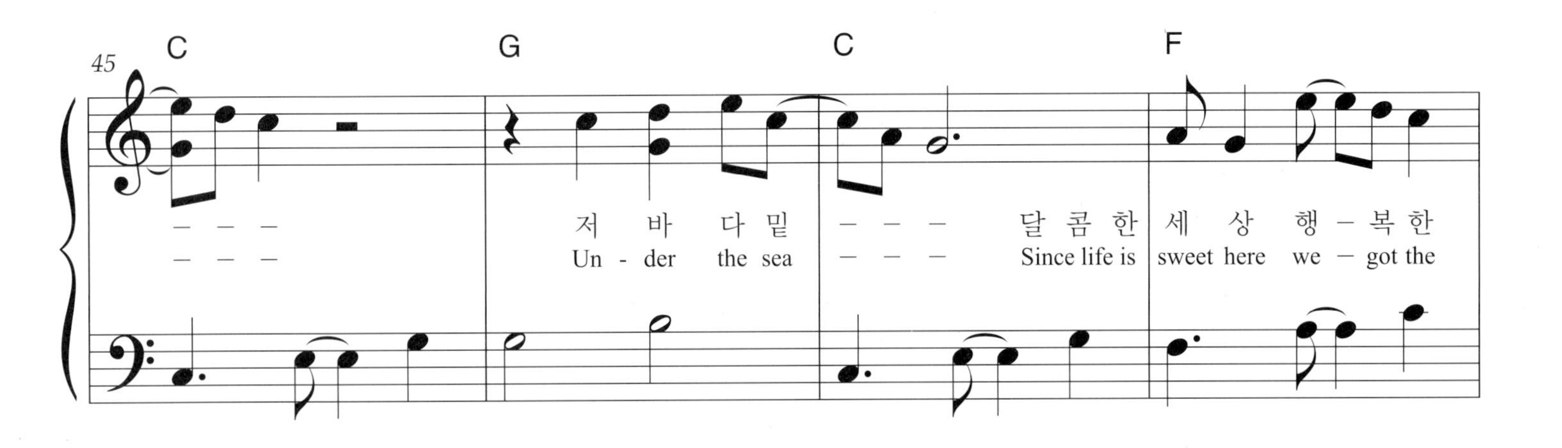
45
C G C F
— — — 저 바 다 밑 — — — 달 콤 한 세 상 행 — 복 한
— — — Un - der the sea — — — Since life is sweet here we — got the

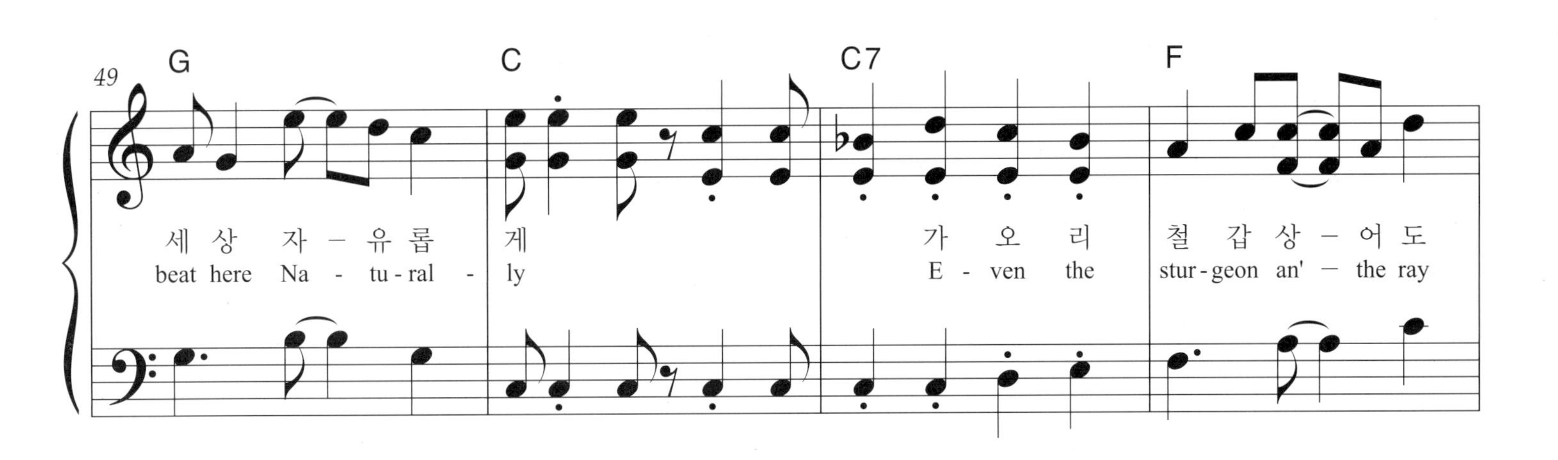
49
G C C7 F
세 상 자 — 유 롭 게 가 오 리 철 갑 상 — 어 도
beat here Na - tu - ral - ly E - ven the stur - geon an' — the ray

53
G Am7 D F
흥 — 이 나 연 주 를 — 하 네 즐 — 거 운 음 악 꼭 — 들 어
They — get the urge 'n start — to play We — got the spi - rit you — got to

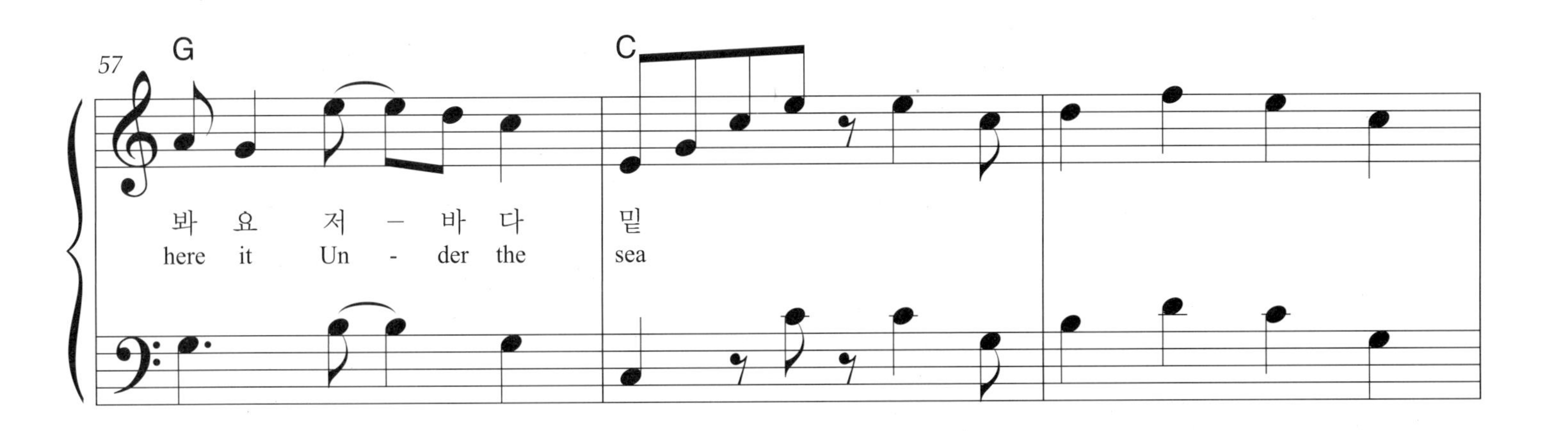
57
G C
봐 요 저 — 바 다 밑
here it Un - der the sea

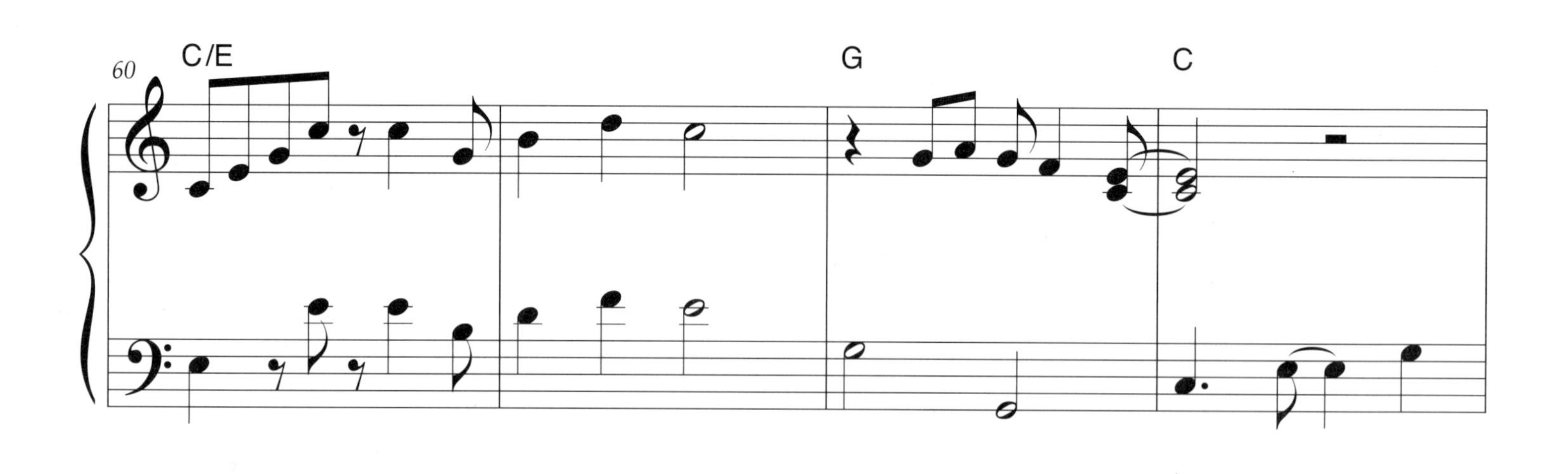
60
C/E
G
C

64
G
C
F
C

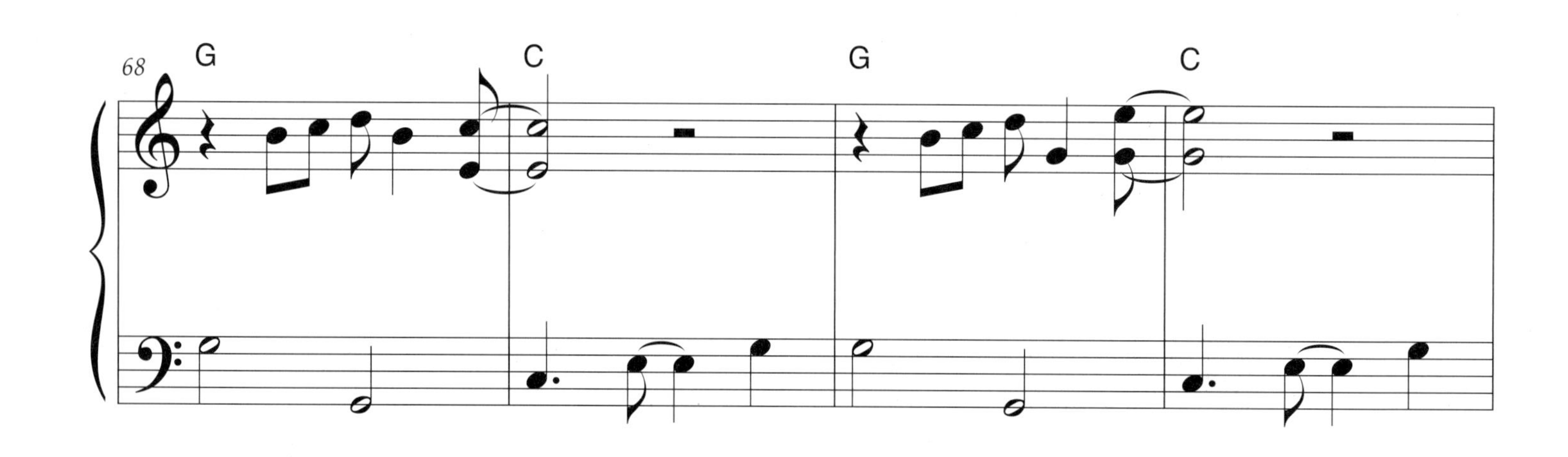
68
G
C
G
C

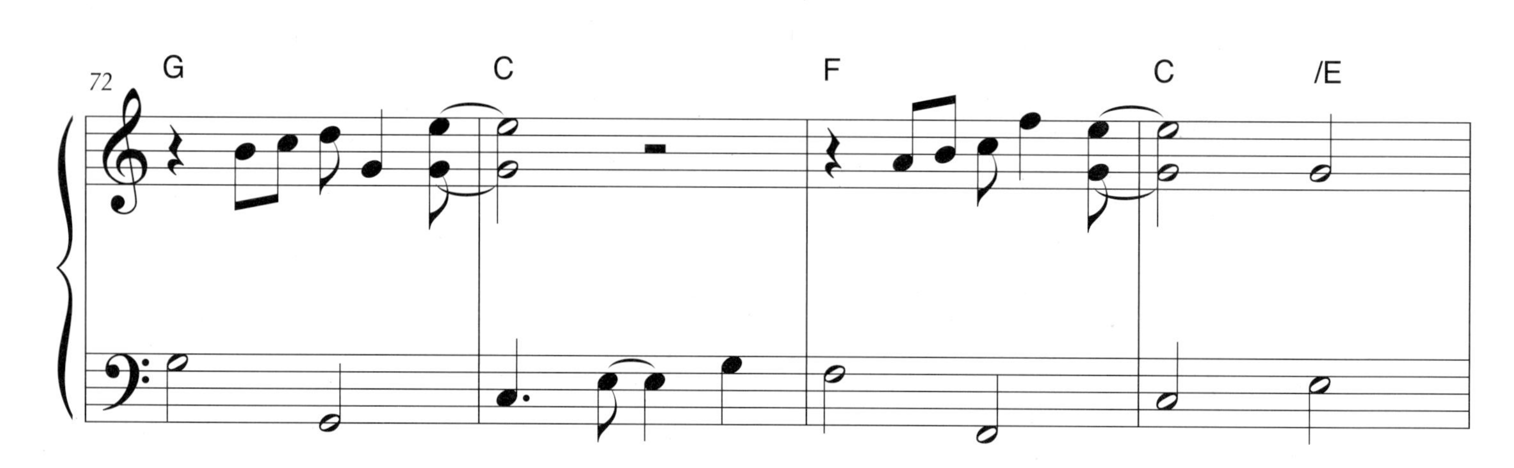
72
G
C
F
C
/E

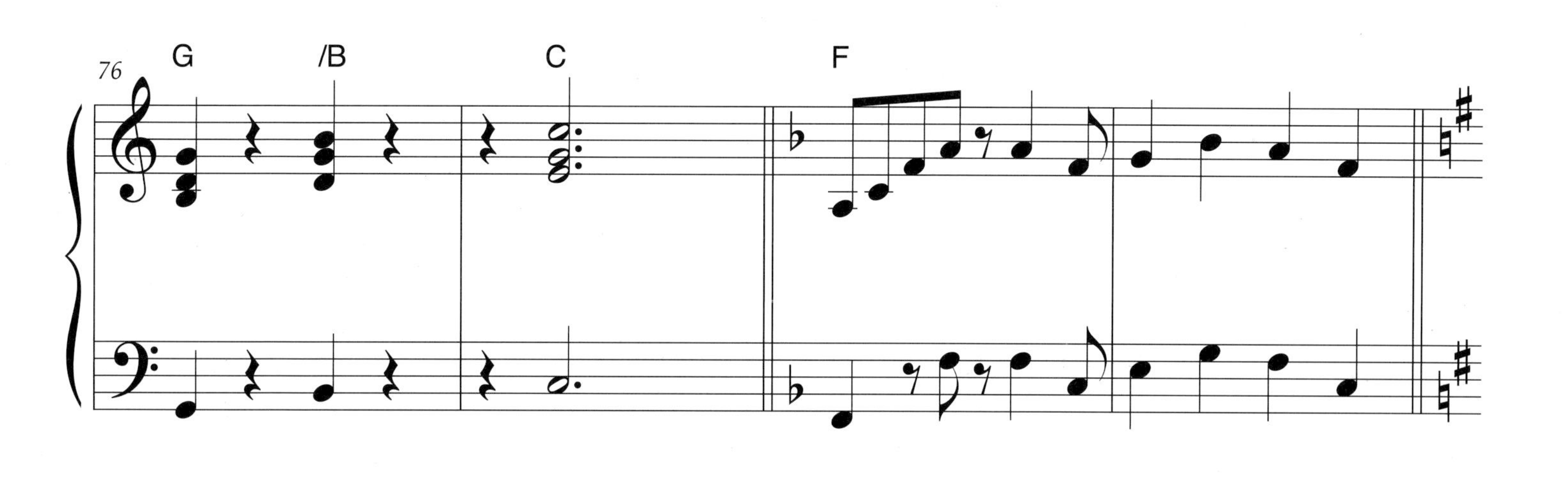
76
G
/B
C
F

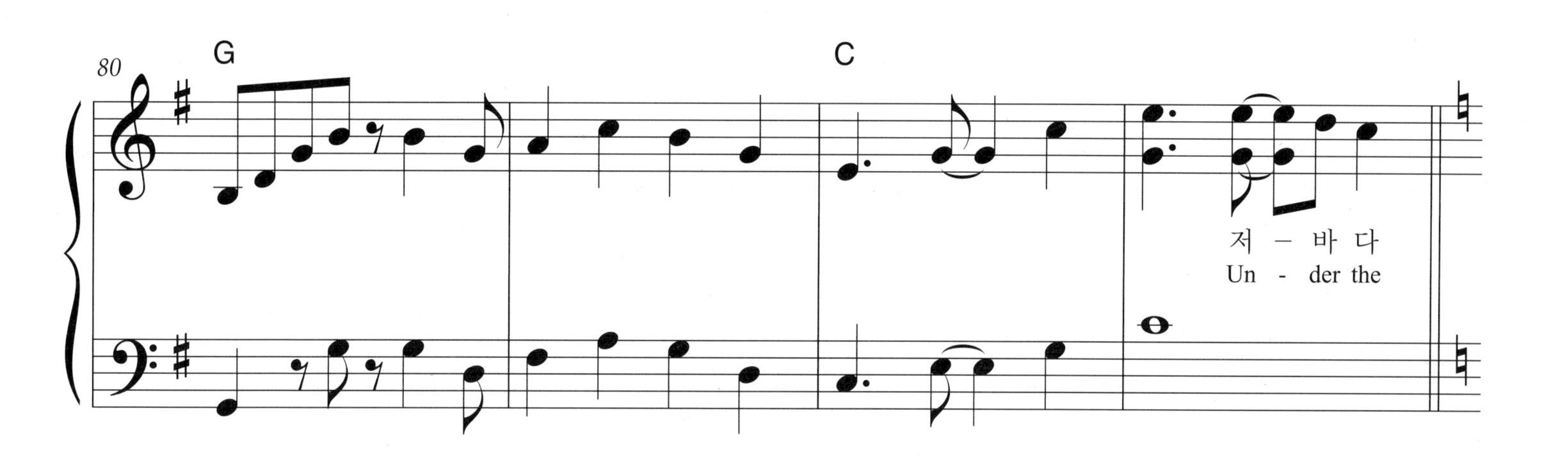
80
G
C
저 – 바 다
Un - der the

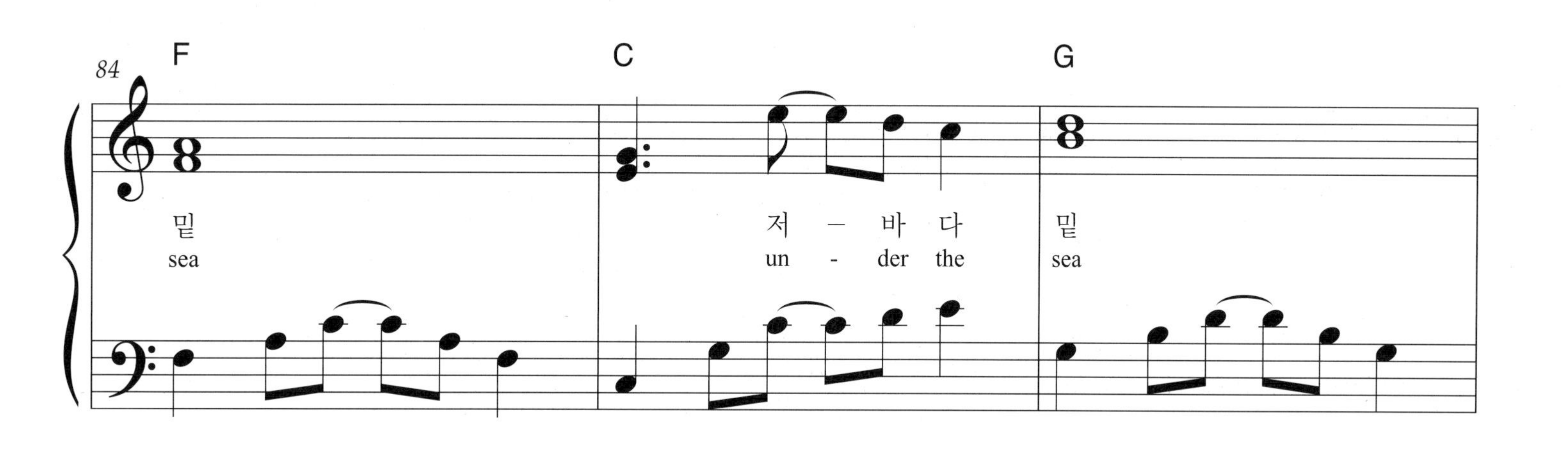
84
F
C
G
밑
sea
저 – 바 다
un - der the
밑
sea

87
C
F
G
아 – 무 나
when — the sar -
먼 저 부 – 르 면
dine be - gin — the be -
따 라 노 – 래 하
guine It's mu - sic to

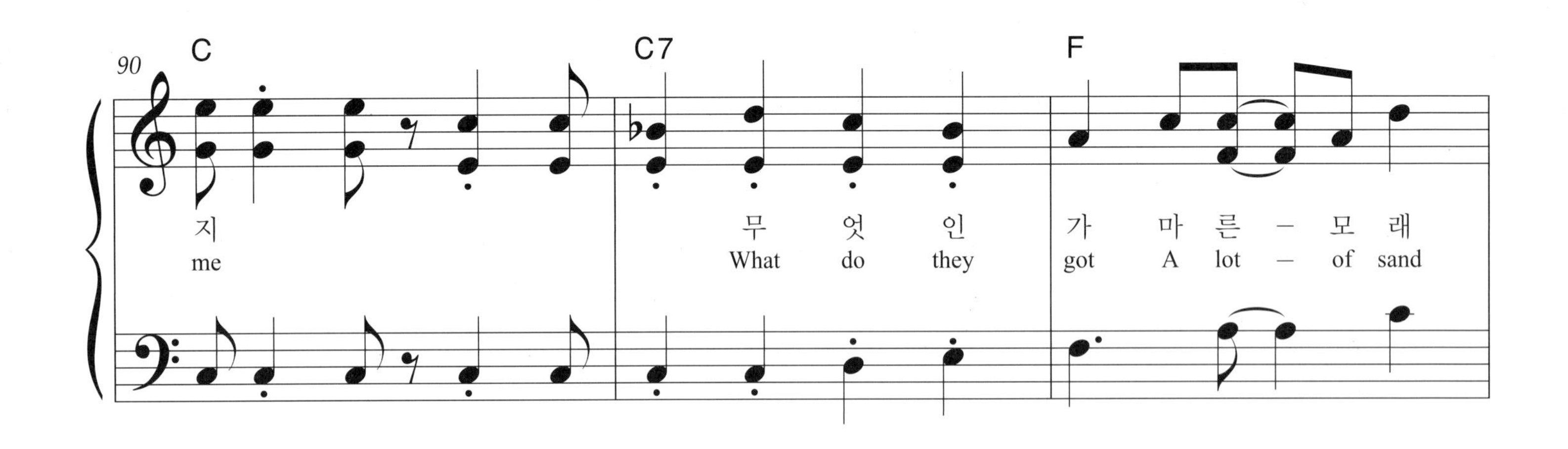
90
C C7 F
지 무 엇 인 가 마 른 – 모 래
me What do they got A lot – of sand

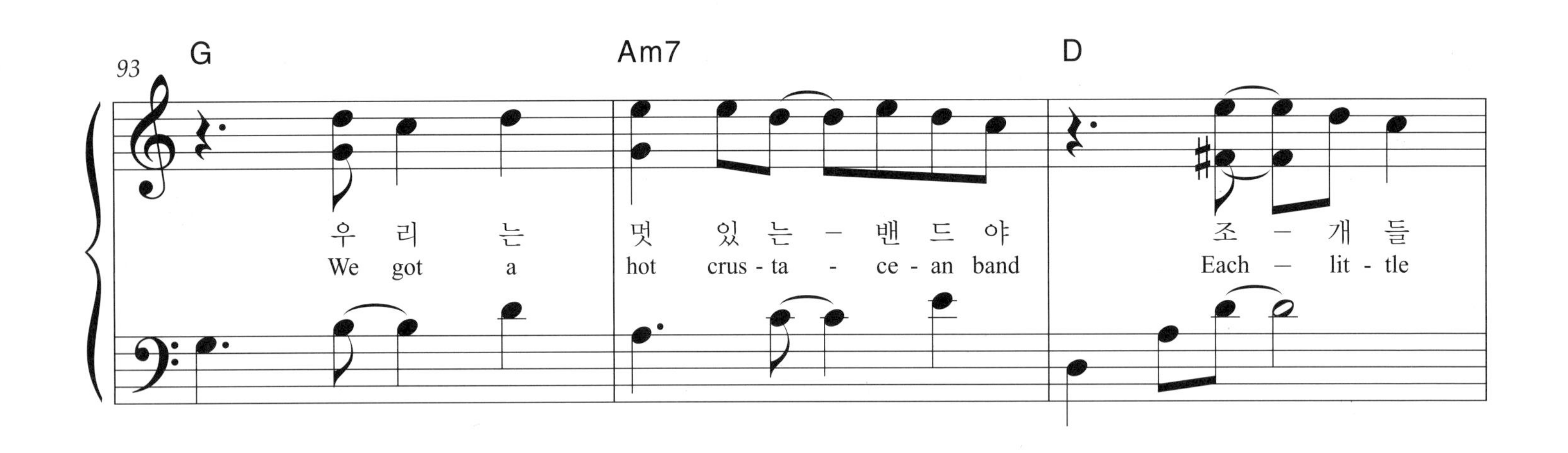
93
G Am7 D
우 리 는 멋 있 는 – 밴 드 야 조 – 개 들
We got a hot crus - ta - ce - an band Each – lit - tle

96
F G C
까 지 연 – 주 를 하 지 저 – 바 다 밑
clam here Know – how to jam here Un - der the sea

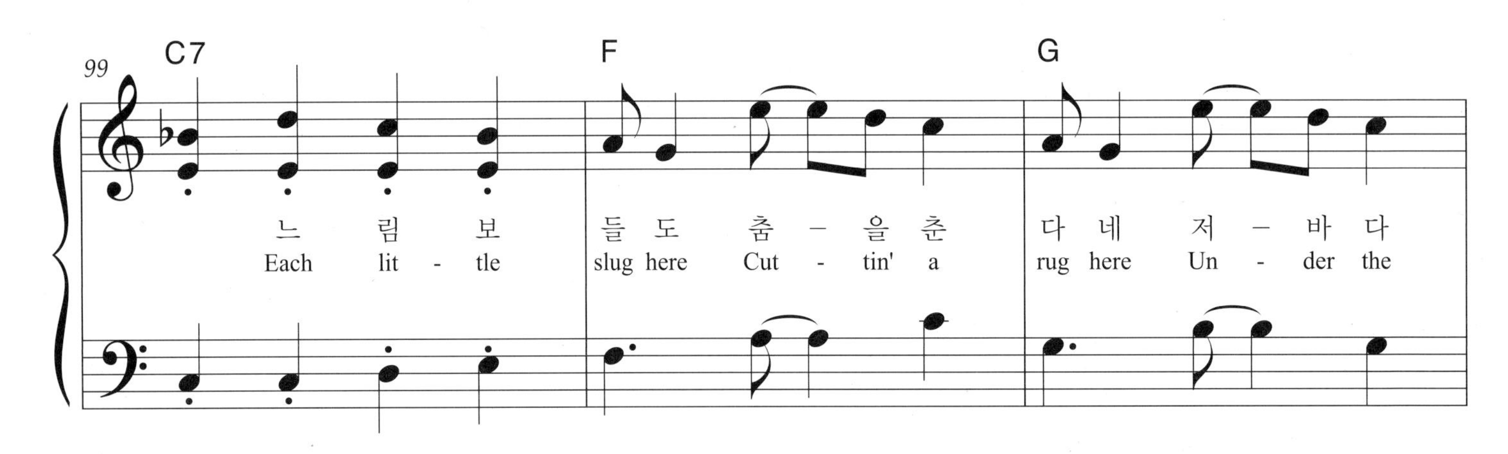
99
C7 F G
느 림 보 들 도 춤 – 을 춘 다 네 저 – 바 다
Each lit - tle slug here Cut - tin' a rug here Un - der the

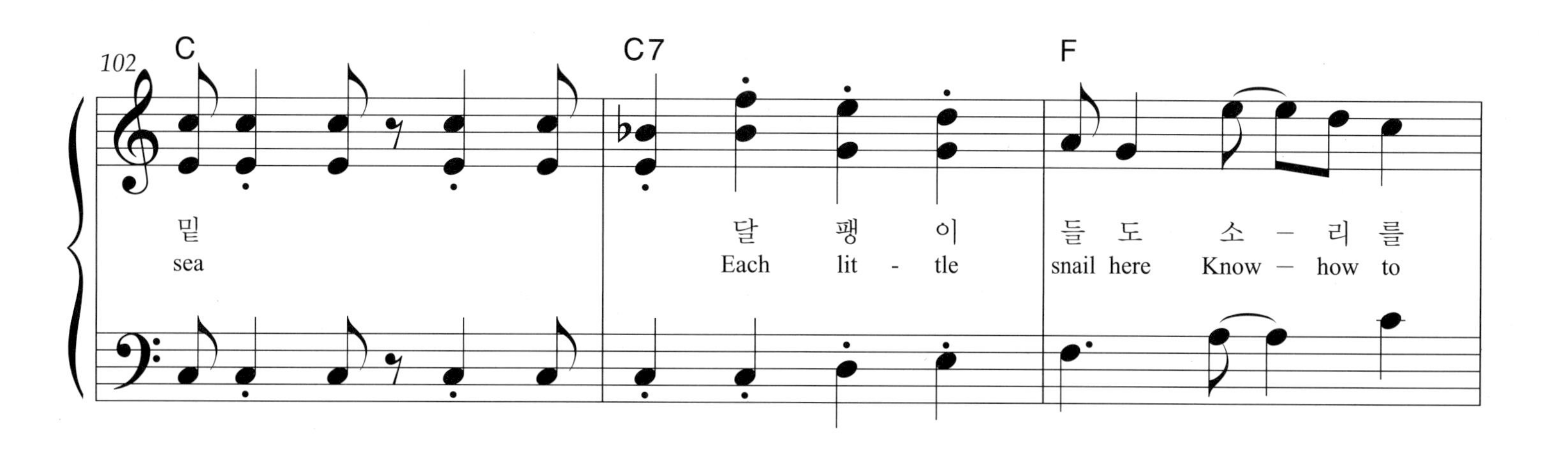
102
C
C7
F
밑
달 팽 이
들 도 소 - 리 를
sea
Each lit - tle
snail here Know - how to

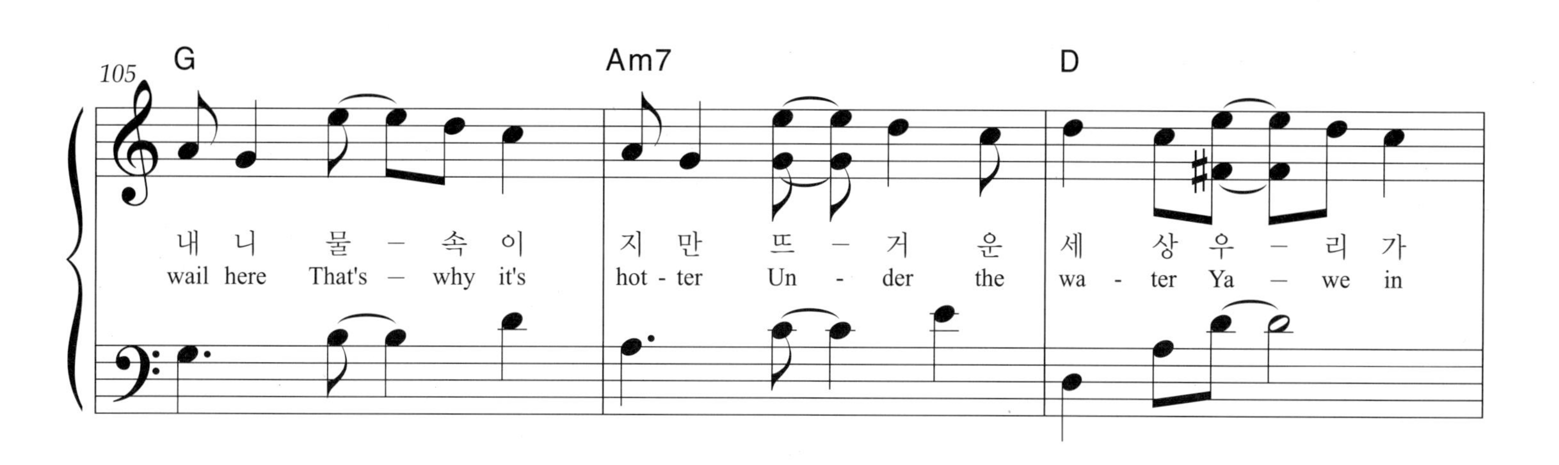
105
G
Am7
D
내 니 물 - 속 이
지 만 뜨 - 거 운
세 상 우 - 리 가
wail here That's - why it's
hot - ter Un - der the
wa - ter Ya - we in

108
F
G
C
사 는 운 - 좋 은
세 상 저 - 바 다
밑
luck here Down - in the
muck here Un - der the
sea

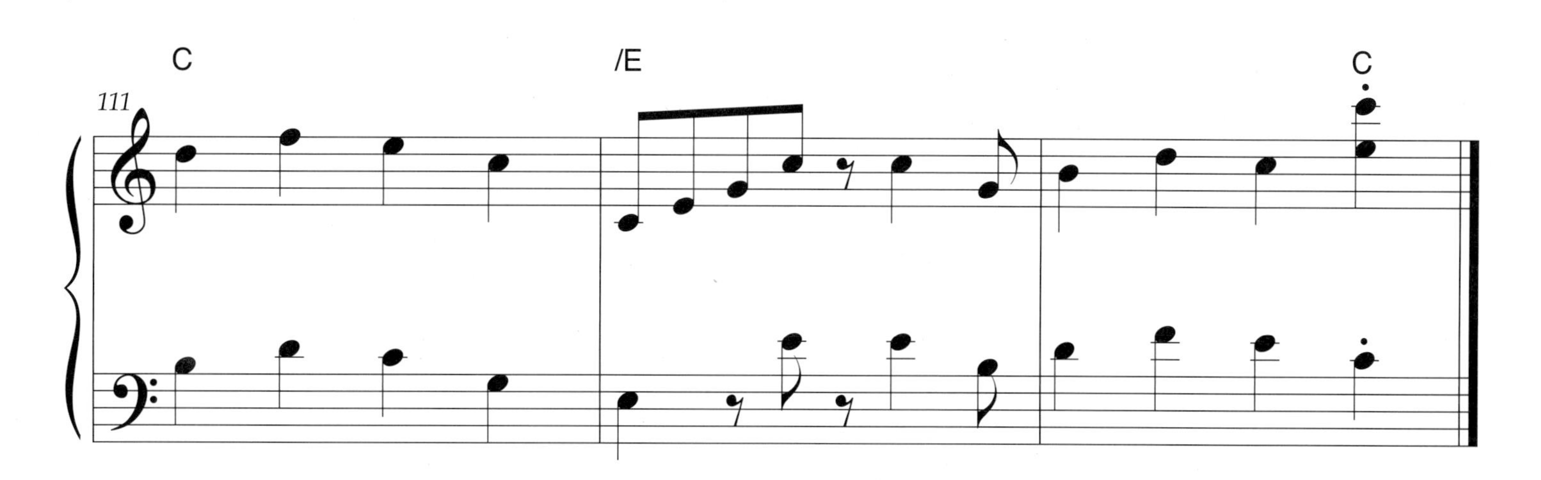
111
C
/E
C

For the First Time

처음으로

린 마누엘 미란다 작사
앨런 멩컨 작곡

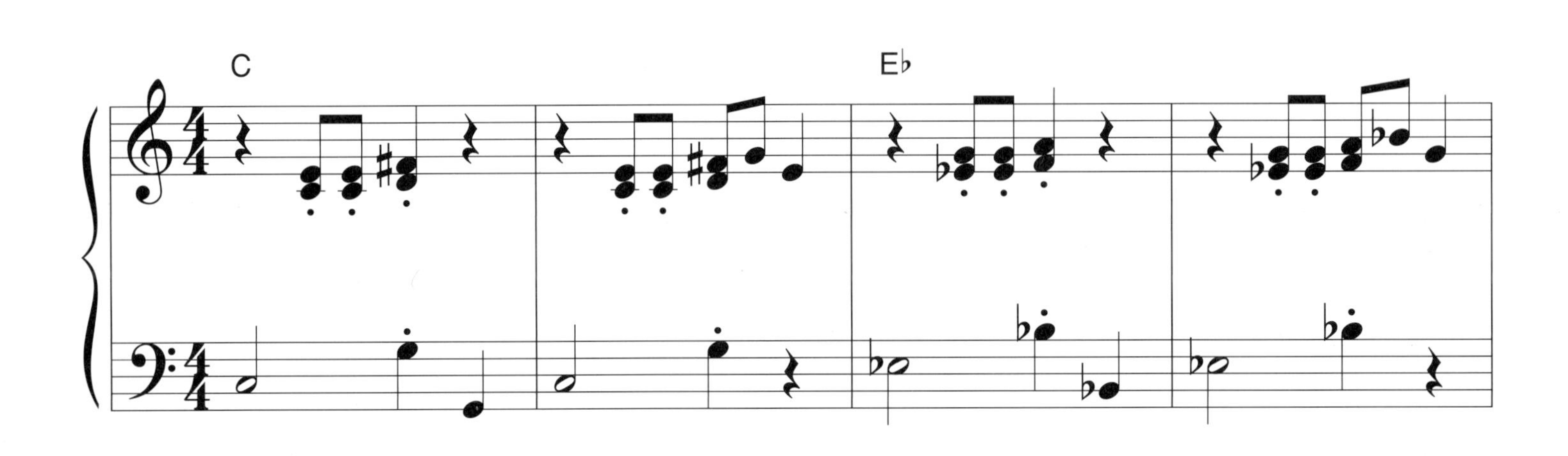

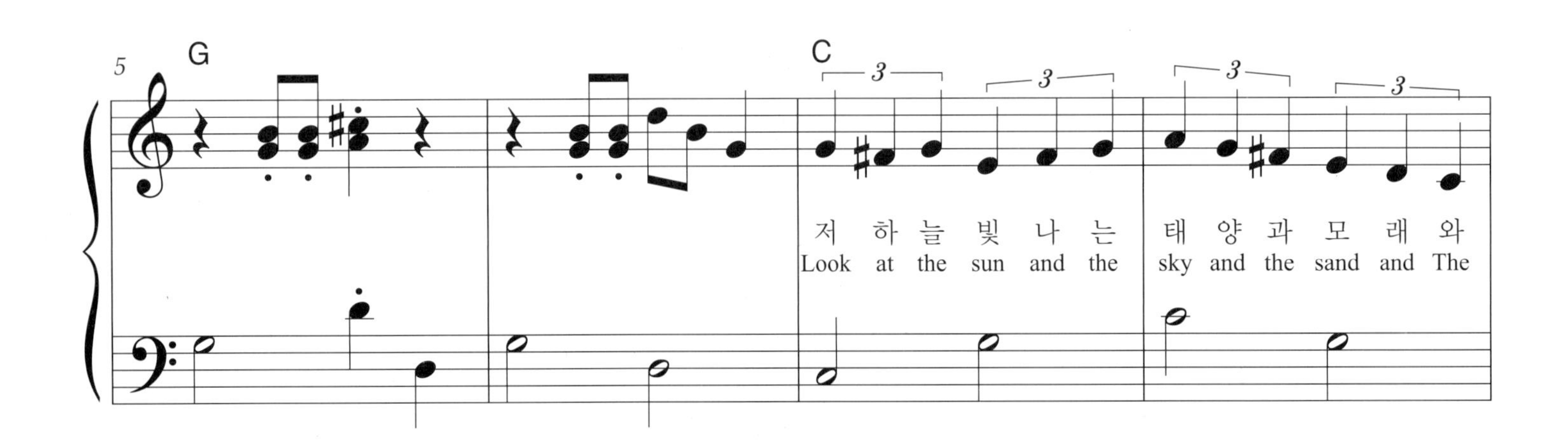

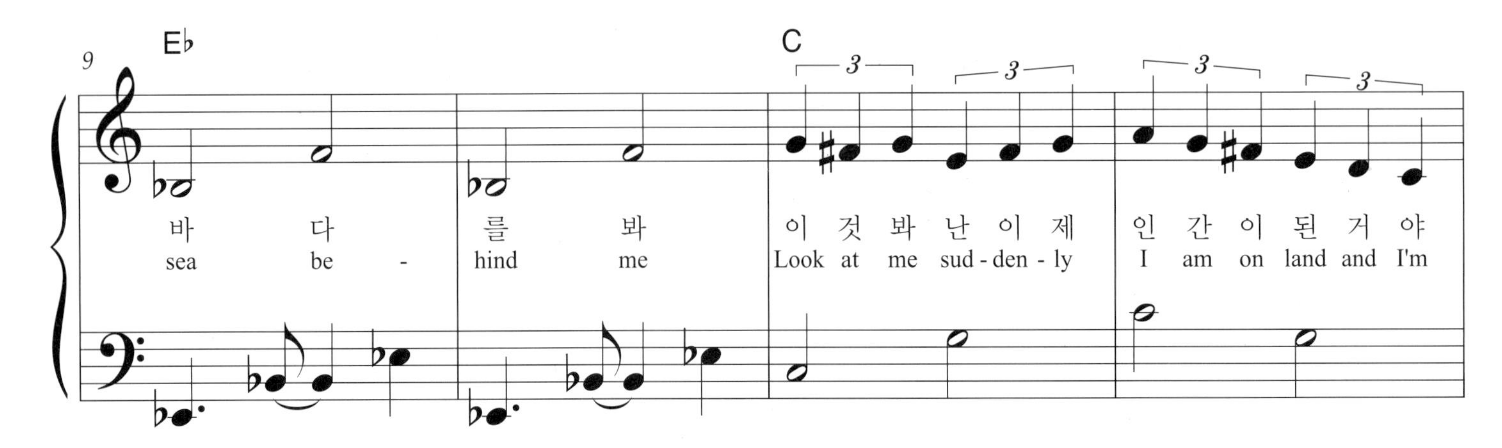

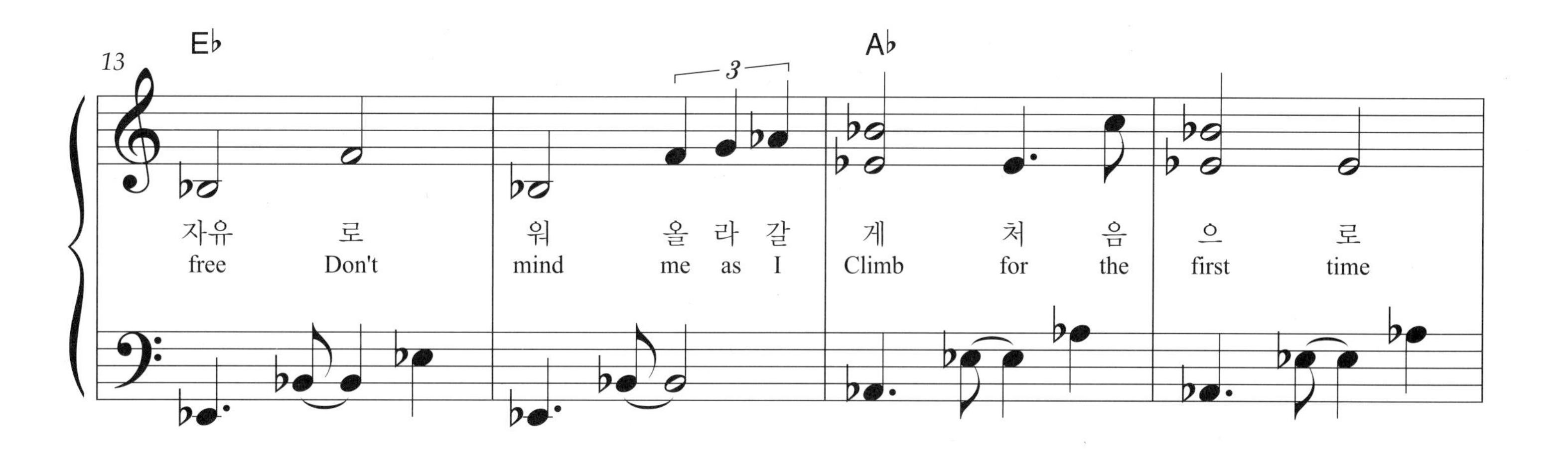
13
E♭
A♭
3
자유 로 워 올 라 갈 게 처 음 으 로
free Don't mind me as I Climb for the first time

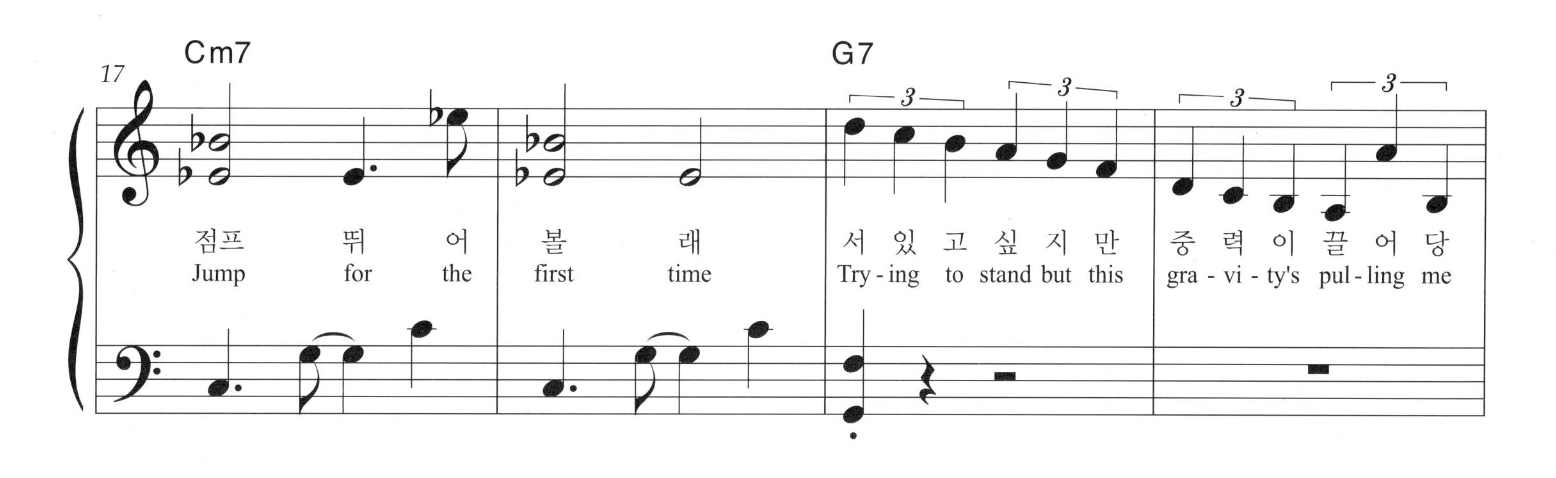
17
Cm7
G7
3
점프 뛰 어 볼 래 서 있 고 싶 지 만 중 력 이 끌 어 당
Jump for the first time Try - ing to stand but this gra - vi - ty's pul - ling me

21
C
겨
down

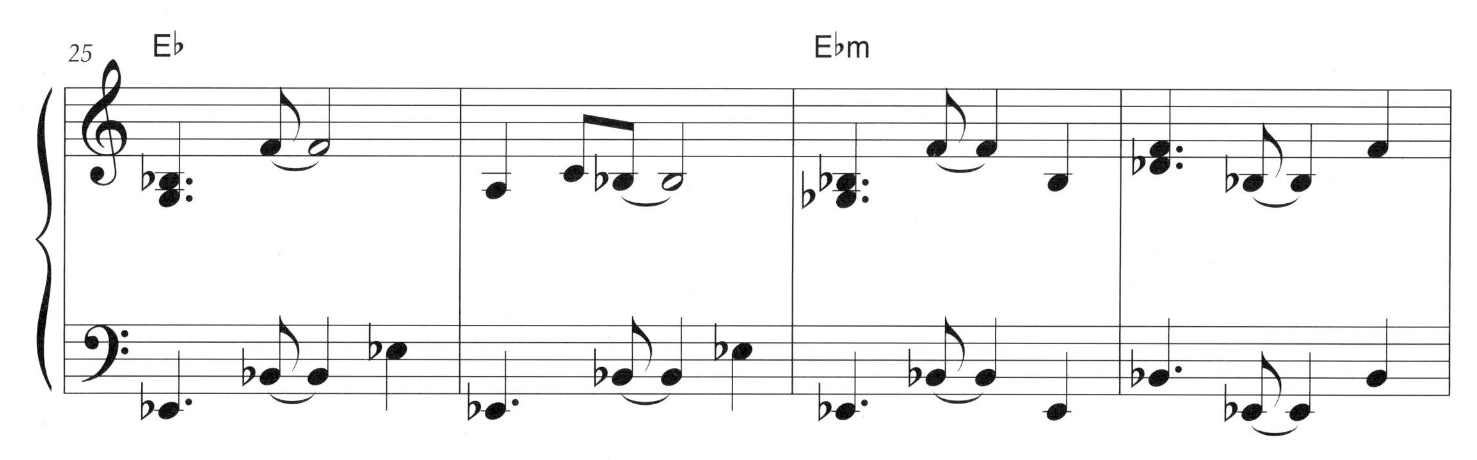
25
E♭
E♭m

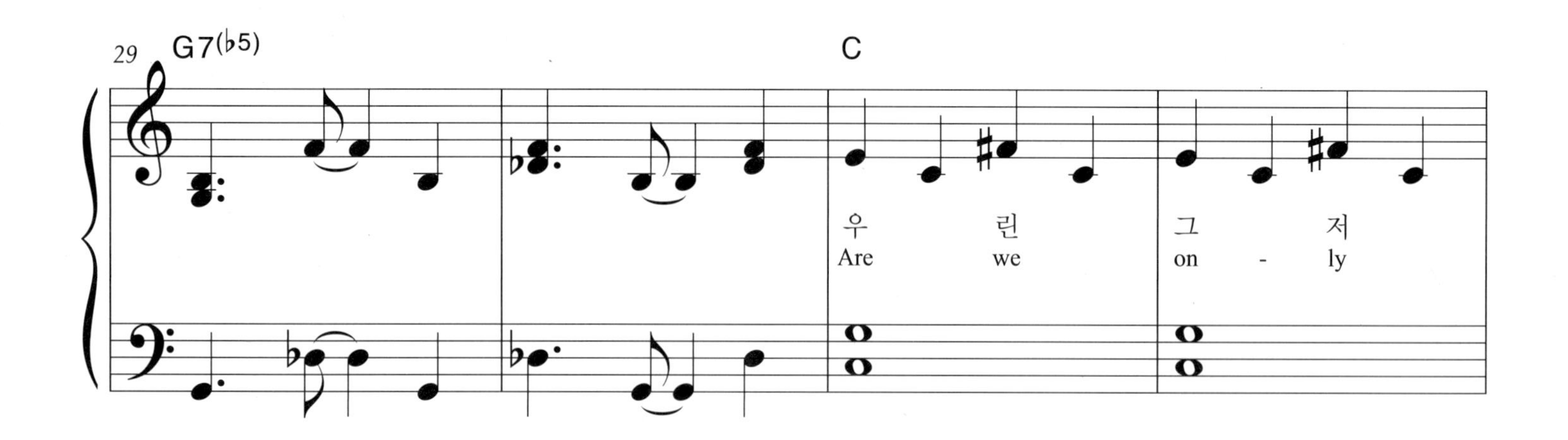
29
G7(♭5)
C
우 린 그 저
Are we on - ly

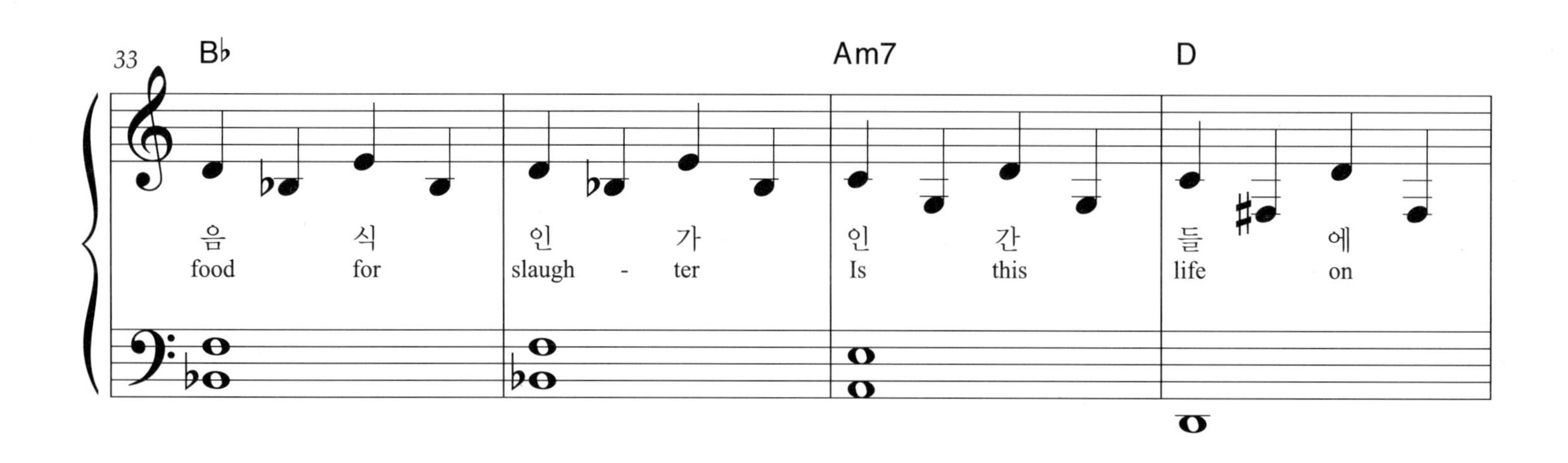
33
B♭
Am7
D
음 식 인 가 인 간 들 에
food for slaugh - ter Is this life on

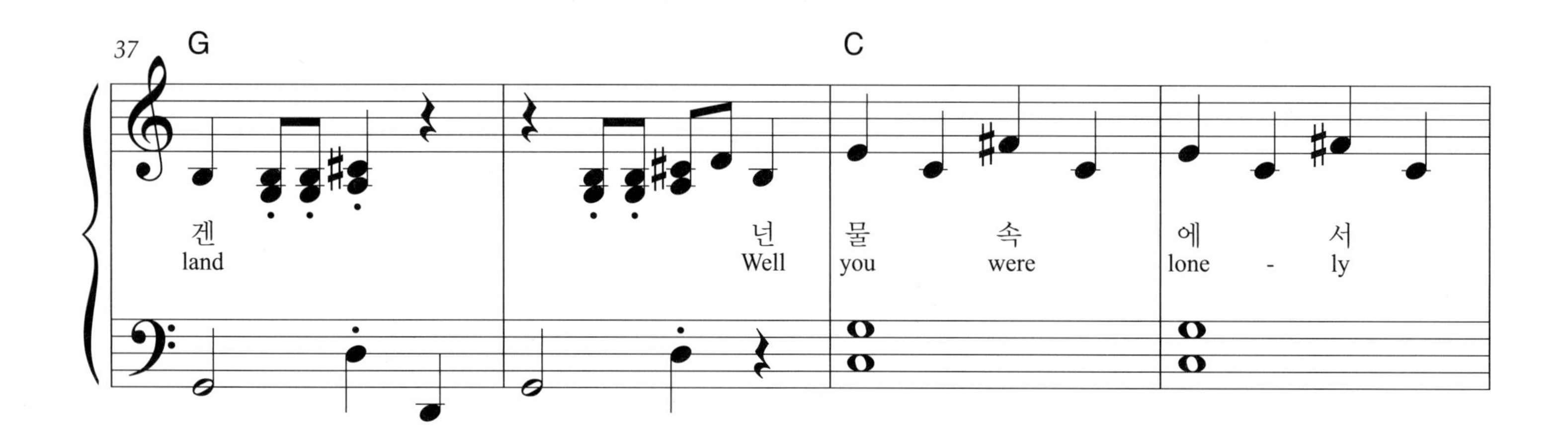
37
G
C
겐 넌 물 속 에 서
land Well you were lone - ly

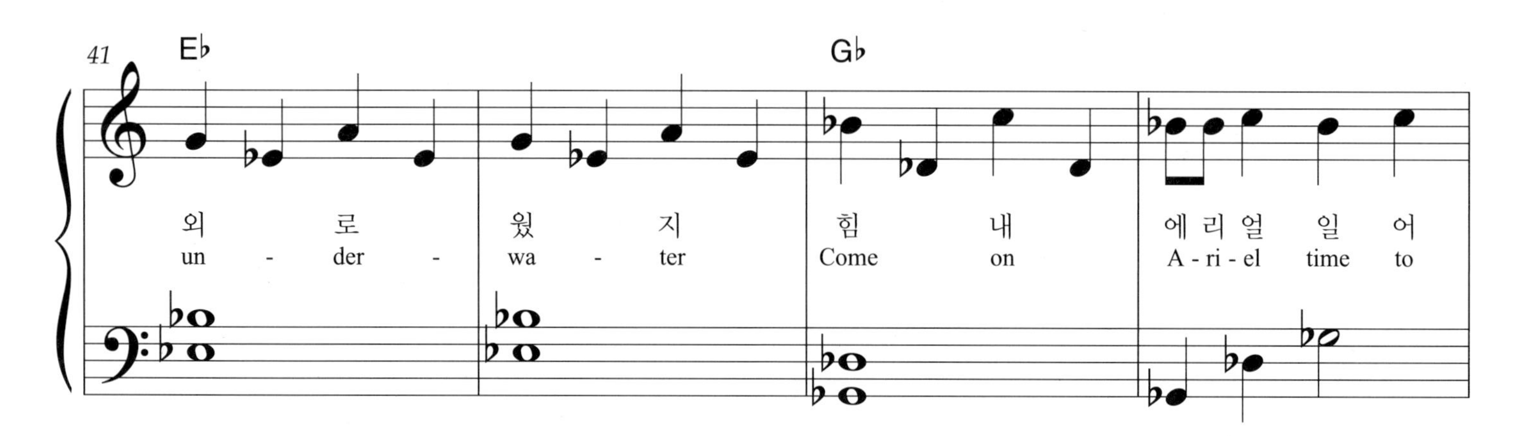
41
E♭
G♭
외 로 웠 지 힘 내 에 리 얼 일 어
un - der - wa - ter Come on A - ri - el time to

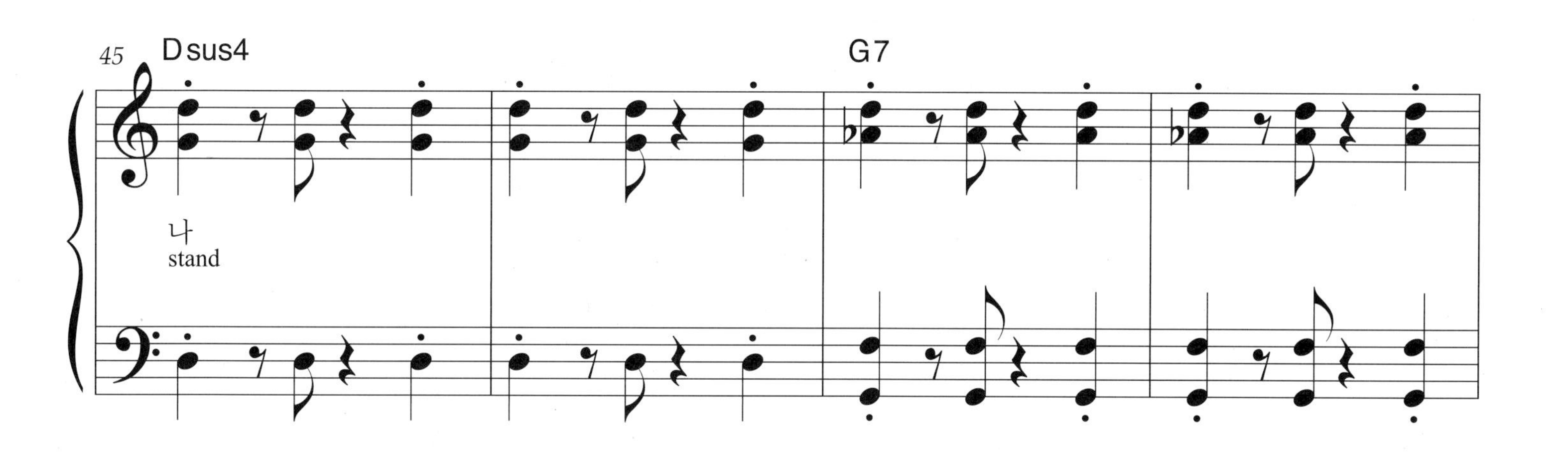
45
Dsus4
G7
나
stand

49
G7(♭5)
G7

53
C
E♭
쪼 이 는 신 발 도 코르 셋 도 답 답 해 내몸 을
Squeeze in the shoes and the cor - set it's tight And the seams are

56
E♭
C
조여 와 입 을 만 하 지 만 그런 다 고 내 꿈 이
burs - ting Some wo - men choose this I guess it's al - right Are my

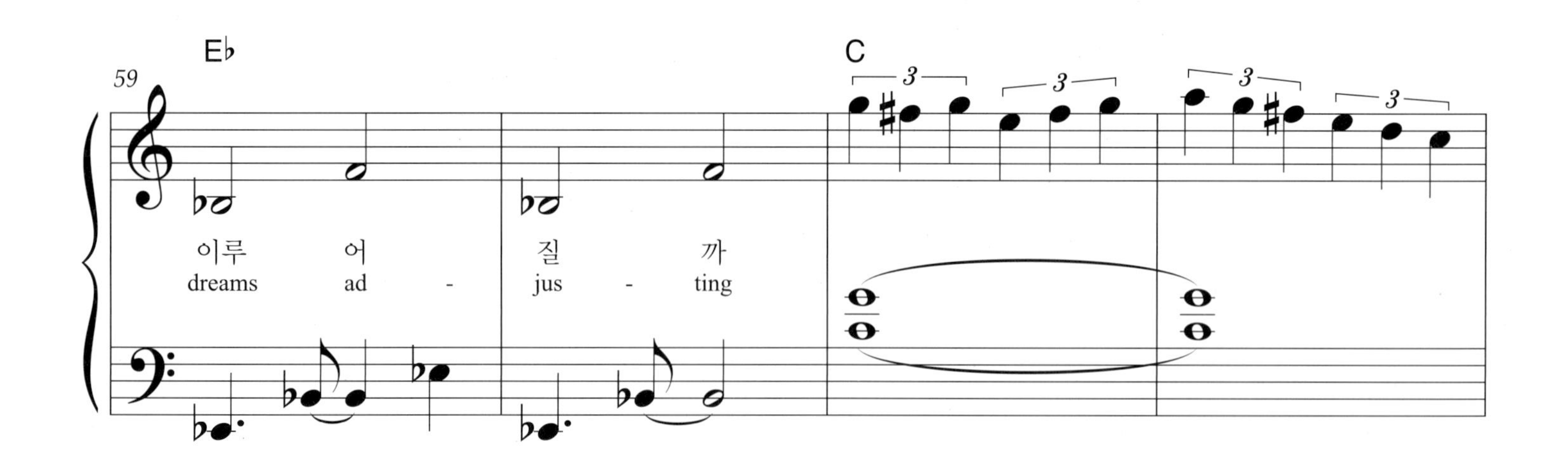

Eb
C
59
이루
어
질
까
dreams
ad
-
jus
-
ting

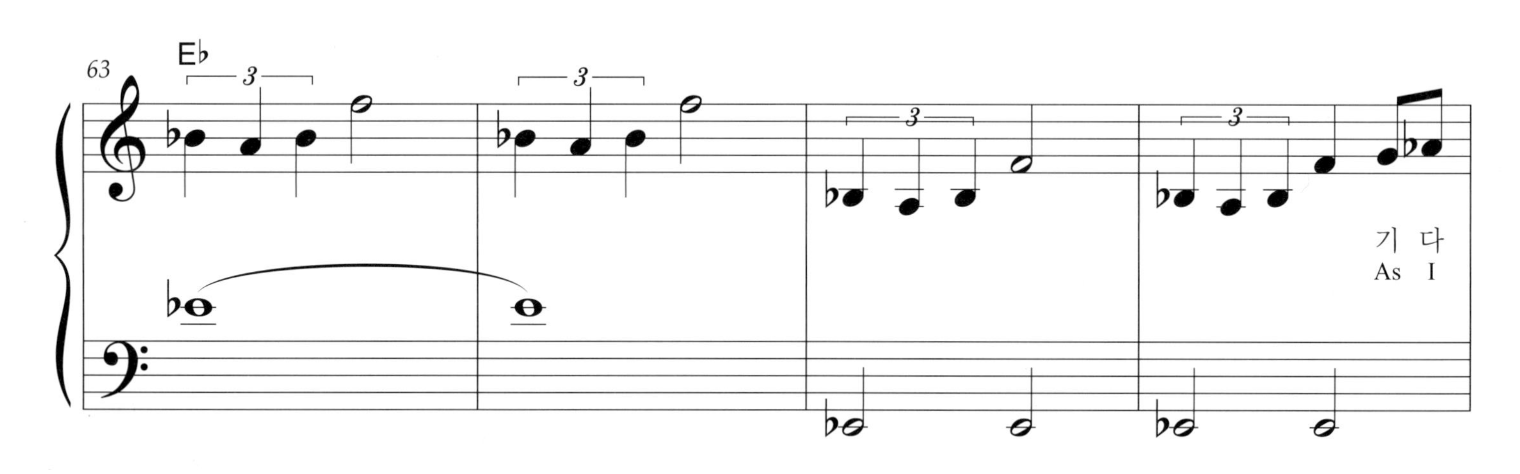

63
Eb
기 다
As I

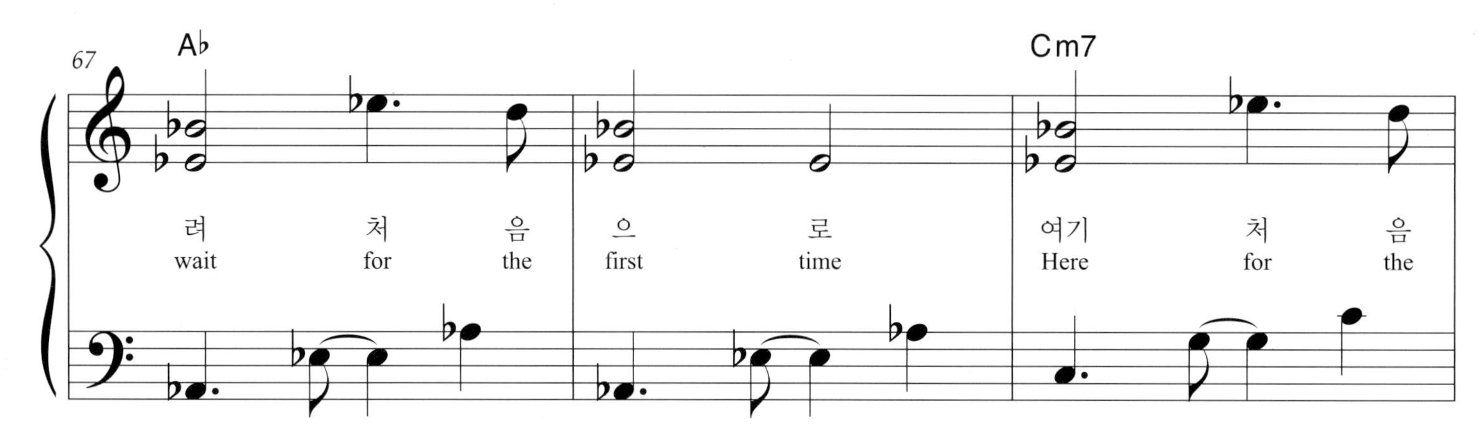

67
Ab
Cm7
려
처
음
으
로
여기
처
음
wait
for
the
first
time
Here
for
the

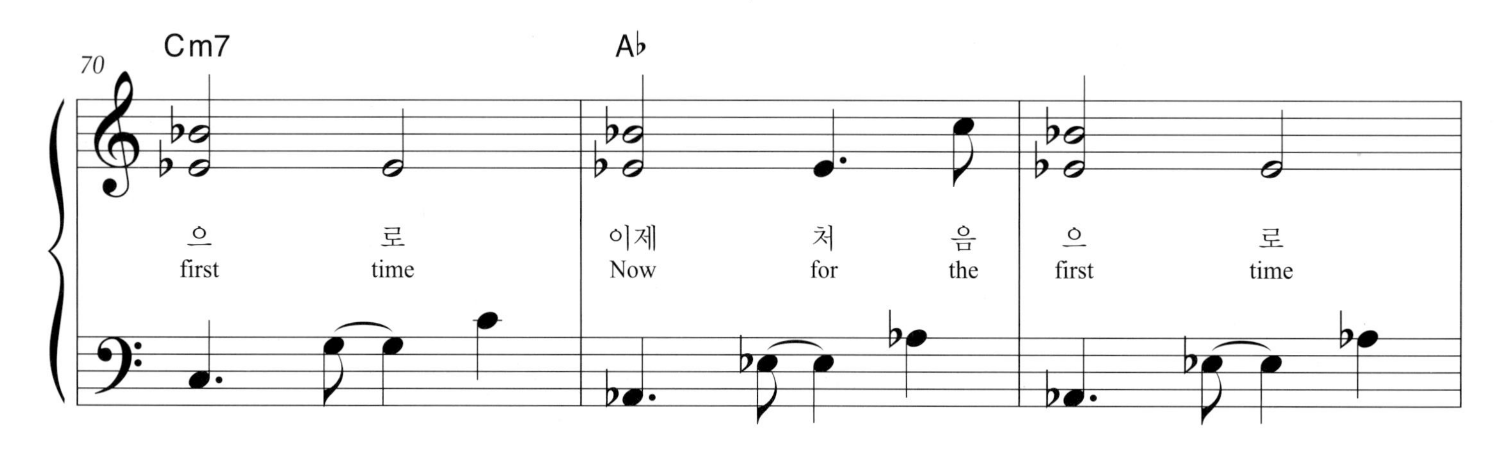

70
Cm7
Ab
으
로
이제
처
음
으
로
first
time
Now
for
the
first
time

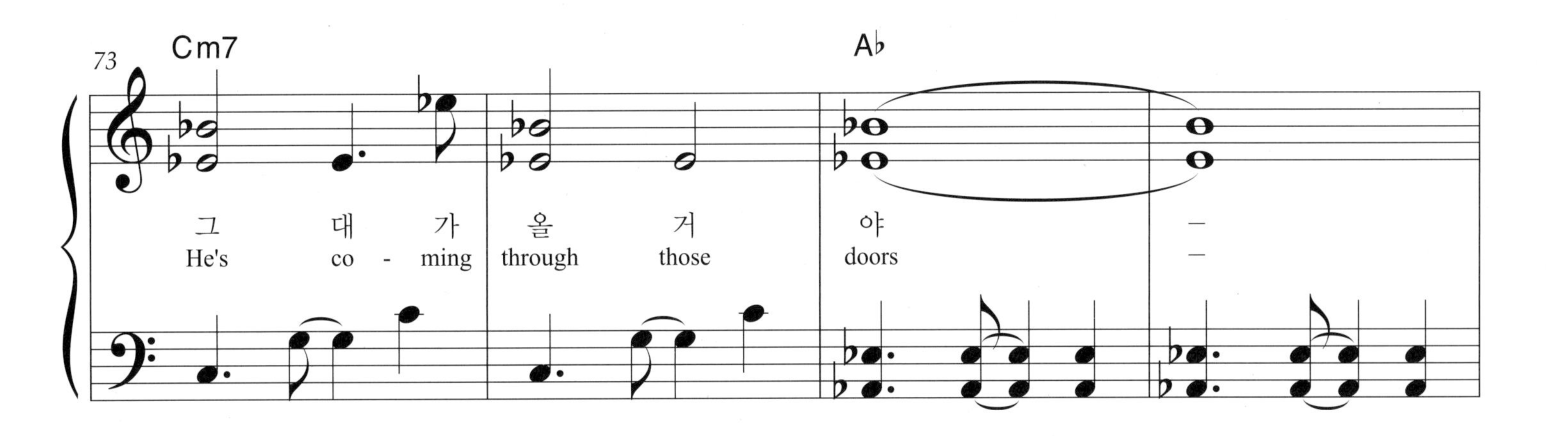
73
Cm7
A♭
그 대 가 올 거 야 –
He's co - ming through those doors –

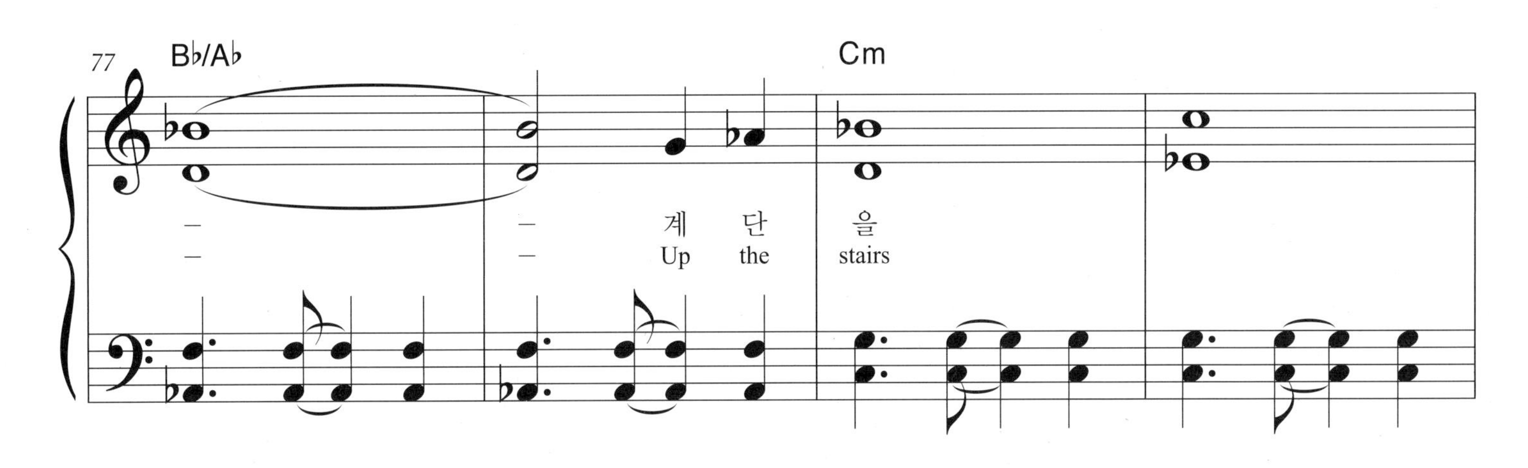
77
B♭/A♭
Cm
– – 계 단 을
– – Up the stairs

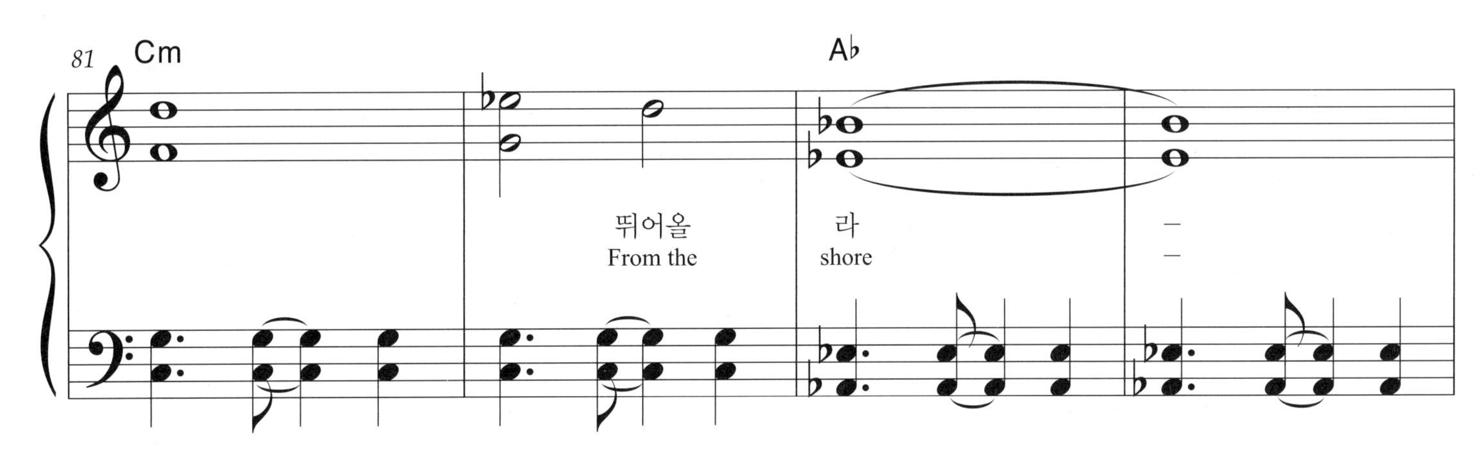
81
Cm
A♭
뛰어올 라 –
From the shore –

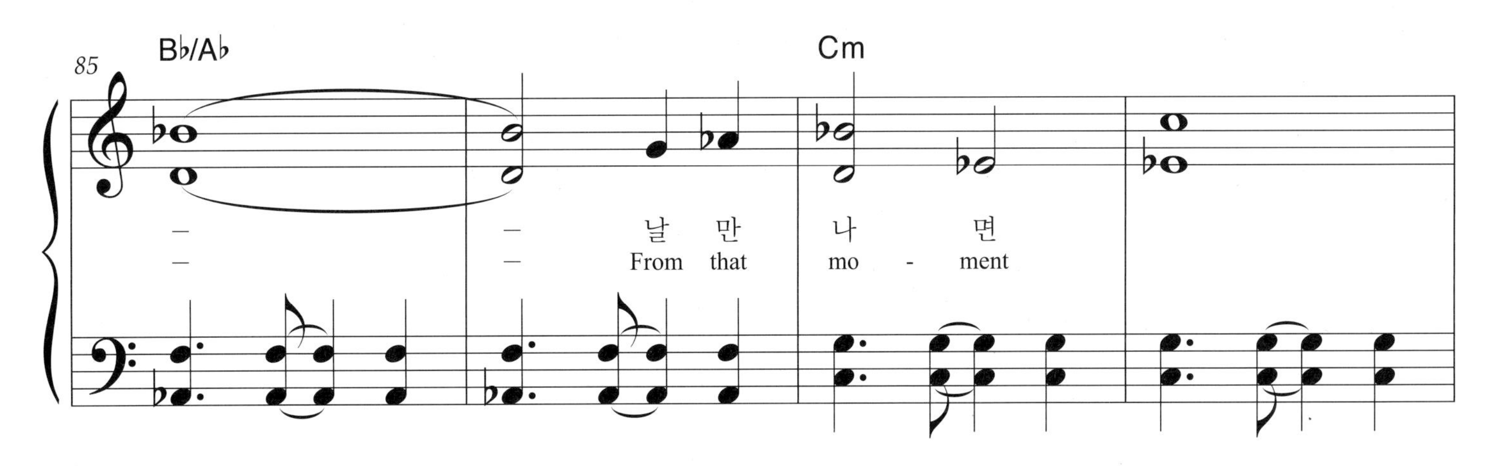
85
B♭/A♭
Cm
– – 날 만 나 면
– – From that mo - ment

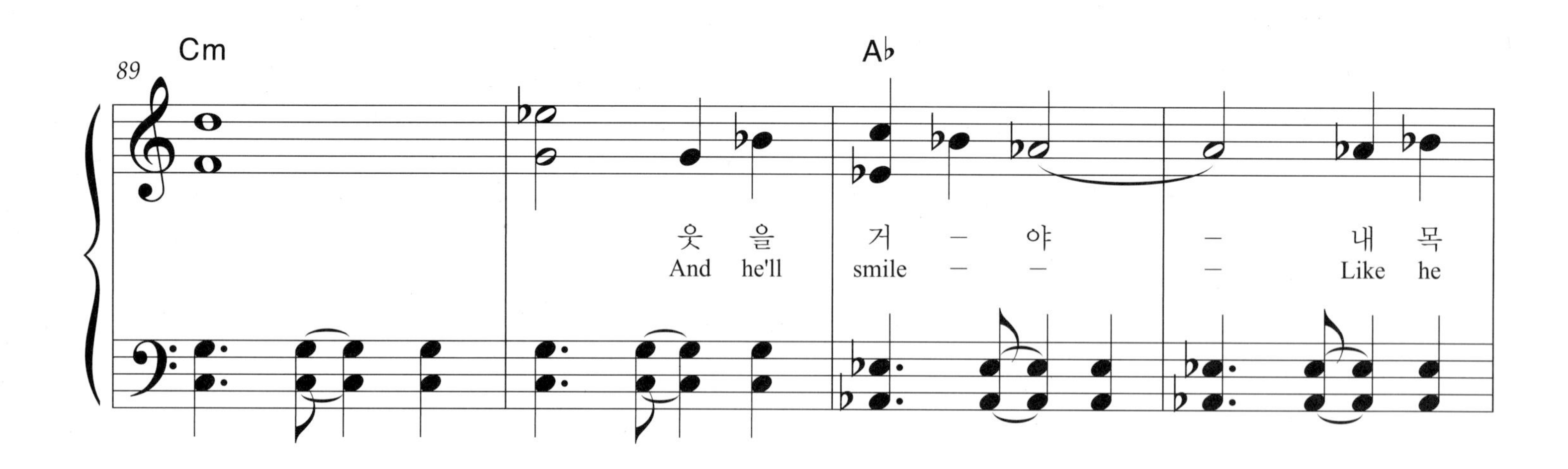
89
Cm
A♭
웃 을 거 — 야 — 내 목
And he'll smile — — — Like he

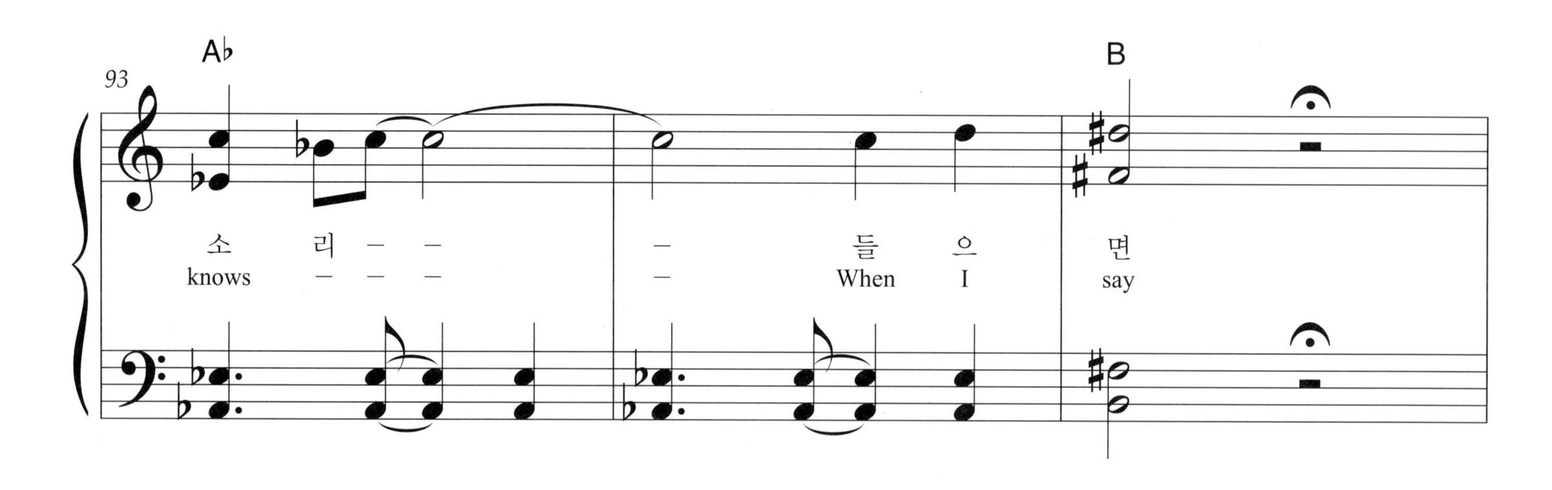
93
A♭
B
소 리 — — — 들 으 면
knows — — — — When I say

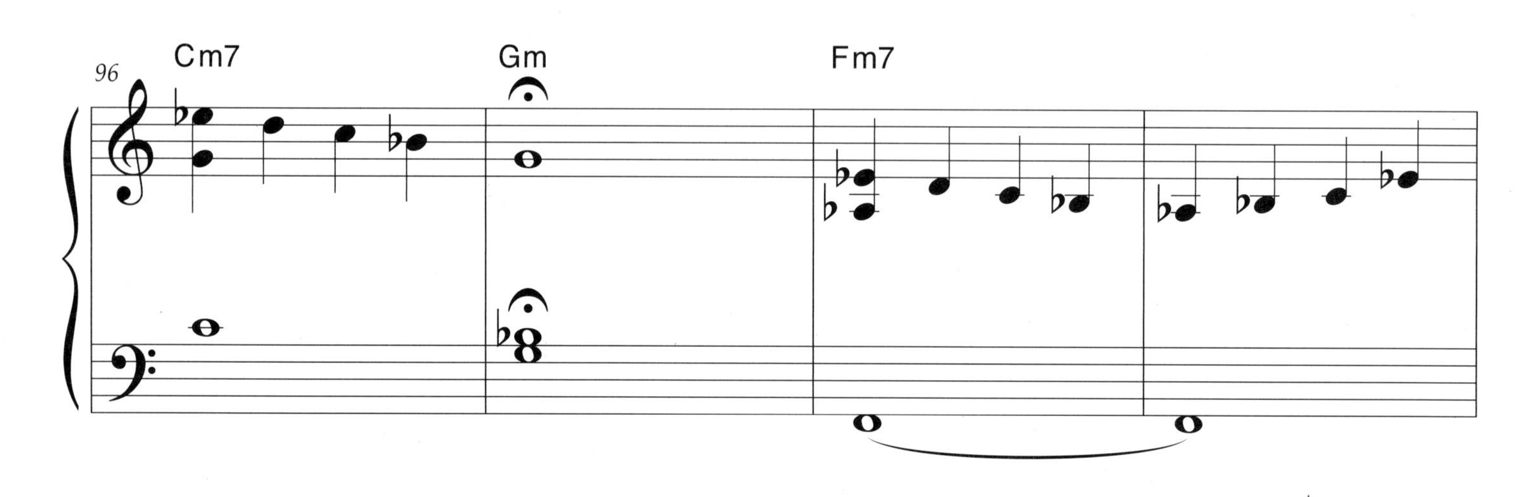
96
Cm7
Gm
Fm7

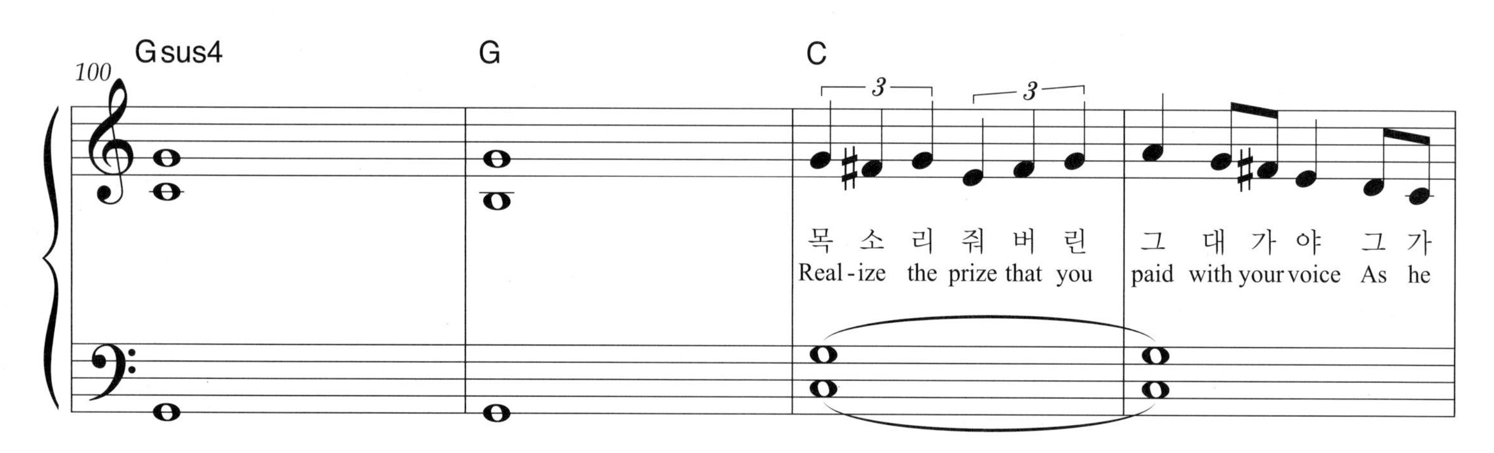
100
Gsus4
G
C
3
3
목 소 리 줘 버 린 그 대 가 야 그 가
Real-ize the prize that you paid with your voice As he

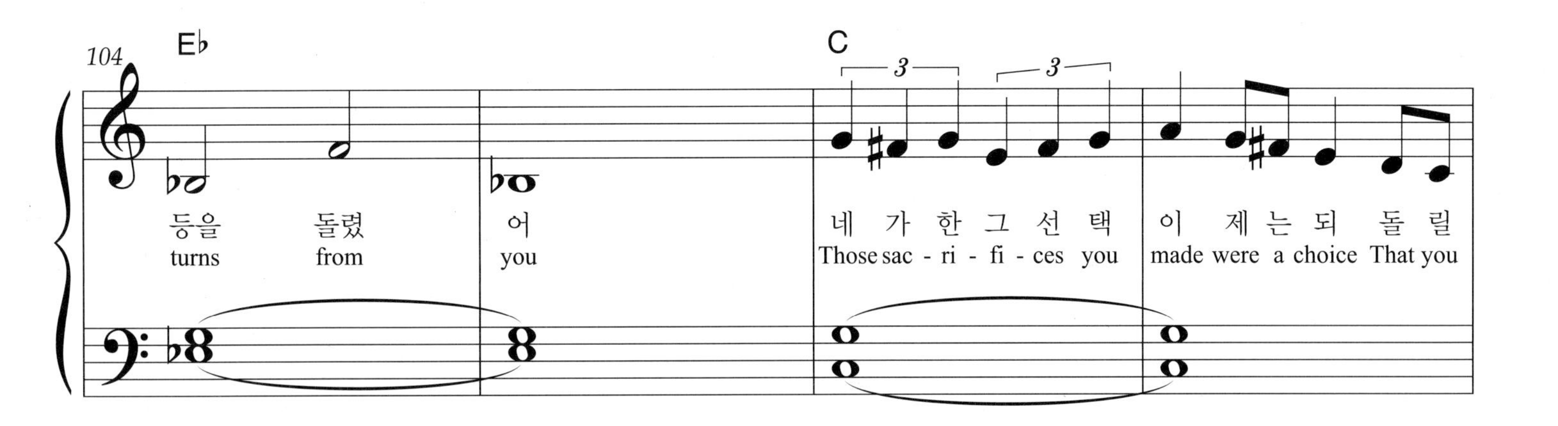
104
E♭
C
3
등을 돌렸 어
turns from you
네 가 한 그 선 택
Those sac - ri - fi - ces you
이 제 는 되 돌 릴
made were a choice That you

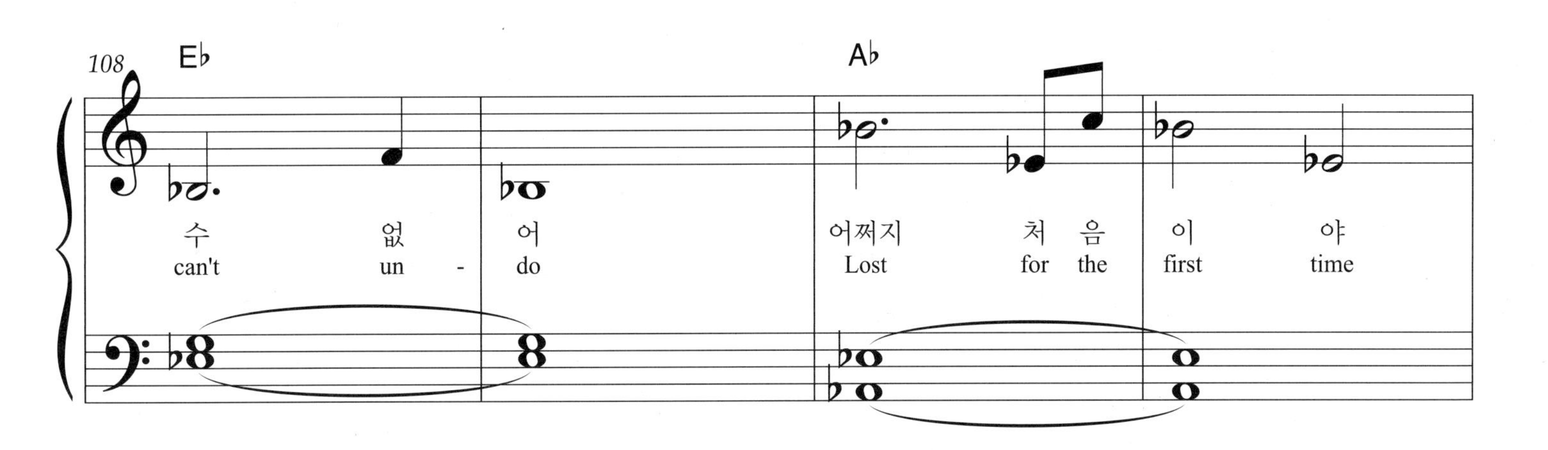
108
E♭
A♭
수 없 어
can't un - do
어쩌지 처 음 이 야
Lost for the first time

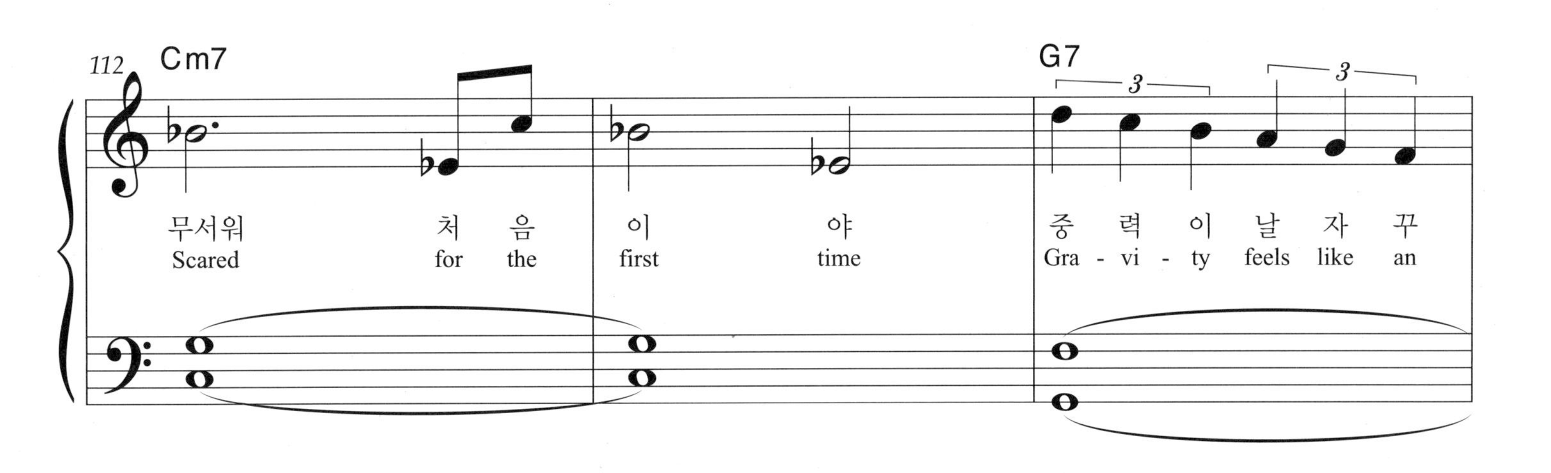
112
Cm7
G7
3
무서워 처 음 이 야
Scared for the first time
중 력 이 날 자 꾸
Gra - vi - ty feels like an

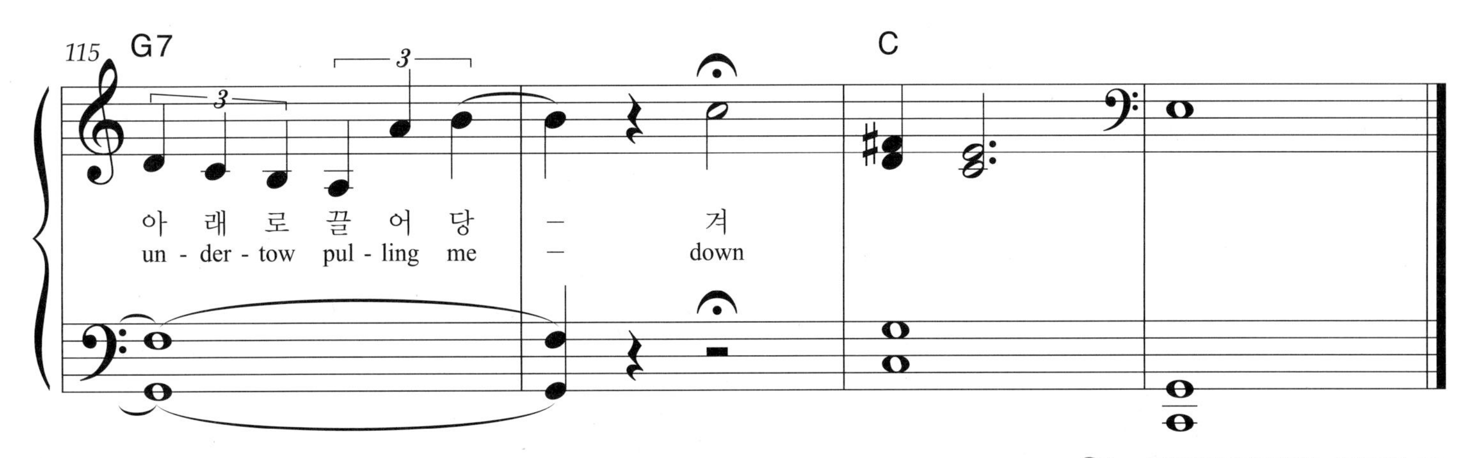
115
G7
C
3
아 래 로 끌 어 당 — 겨
un - der - tow pul - ling me — down

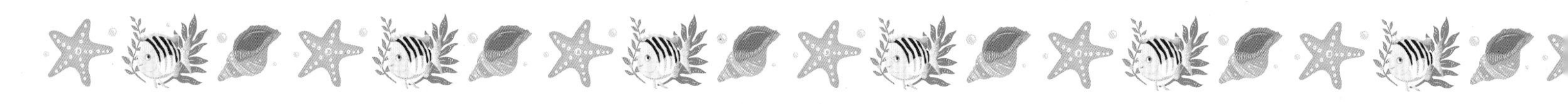

Kiss the Girl

입 맞춰

하워드 애쉬먼 **작사**
앨런 멩컨 **작곡**

13
G
C
없 지 만 – 좀 더
don't know why – But you're
가 까 이 다 가 가 서
dy - ing to try You wan - na
입 맞 춰
kiss the girl

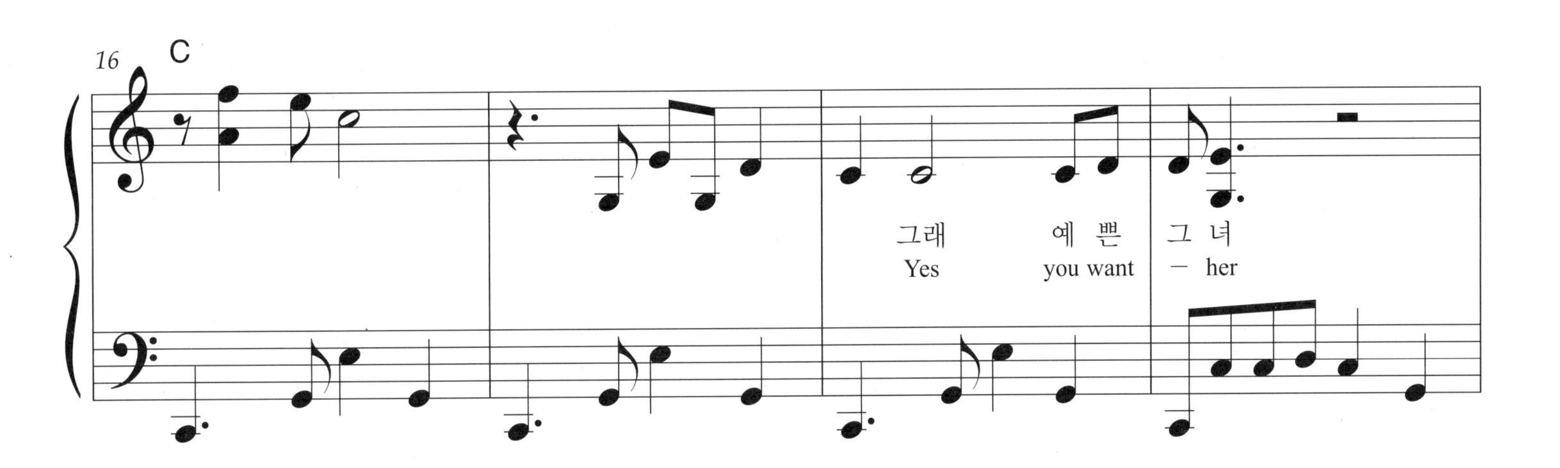
16
C
그래 예 쁜 그 녀
Yes you want – her

20
C
F
바 라 보 기 만 해 도 –
Look at her you know you do –
두 근 거 리 는 마 음
Pos - si - ble she wants you too

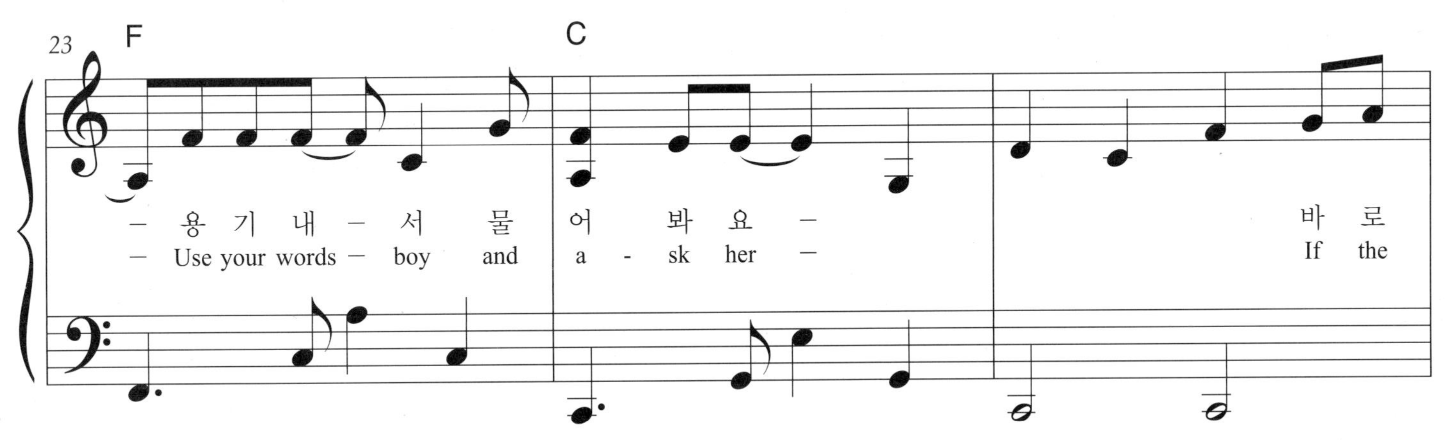
23
F
C
– 용 기 내 – 서 물
– Use your words – boy and
어 봐 요 –
a - sk her –
바 로
If the

26
G
C
지 금 이야 – 망 설 이 – 지 말 고 살 며 시 입 맞 춰
time is right – and the time – is to - night Go on and kiss the girl

29
C
8va

32
C
F
C
샤 랄 랄 랄 랄 라 아이 고 참 – 그 렇 게 용 기 가 – 없 어 서
Sha - la - la - la - la - la my oh my – Look like the boy too shy – Ain't gon - na

35
G
C
F
어 쩌 나 샤 랄 랄 랄 랄 라 이 거 참 – 답 답 해
kiss the girl Sha - la - la - la - la - la ain't that sad – Ain't it a

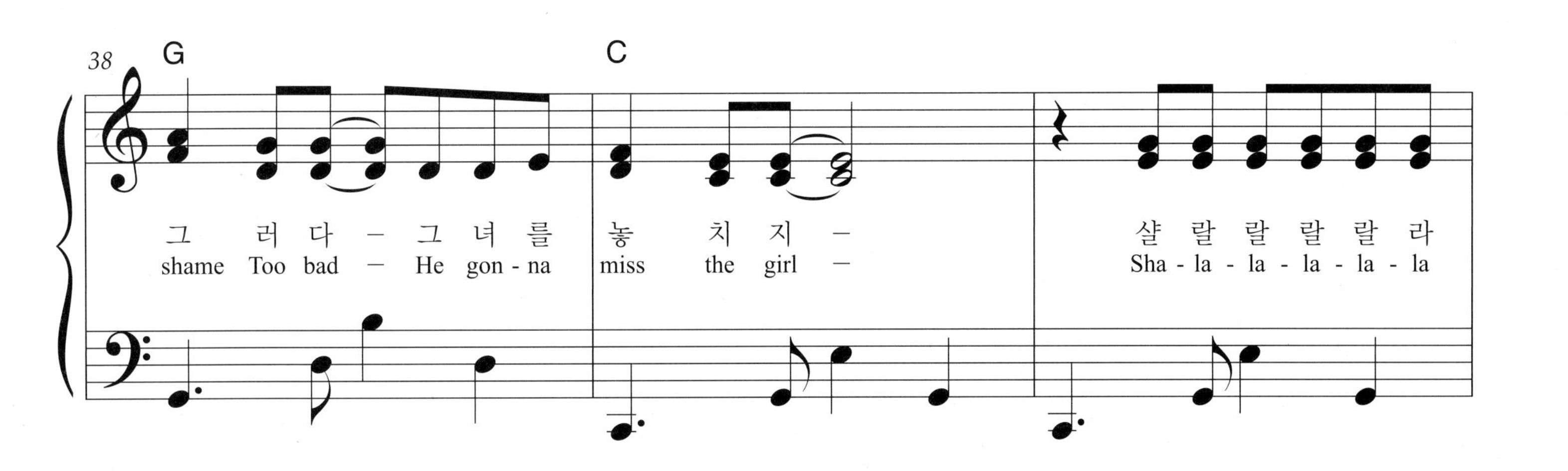
38
G
C
그 러 다 – 그 녀 를
shame Too bad – He gon - na
놓 치 지 –
miss the girl –
샬 랄 랄 랄 랄 라
Sha - la - la - la - la - la

41
F
C
G
호 수 에 – 퍼 지 는
float a - long – And lis - ten
노 래 도 – 말 해 요
to the song – The song say
입 맞 춰
Kiss the girl

44
C
F
G
샬 랄 랄 랄 랄 라
Sha - la - la - la - la the
멋 있 는 – 음 악 도
mu - sic play – Do what the
이 렇 게 – 말 해 요
mu - sic say – You got to

47
C
G
C
입 맞 춰
kiss the girl

Wild Uncharted Waters

거친 미지의 바다

린 마누엘 미란다 **작사**
앨런 멩컨 **작곡**

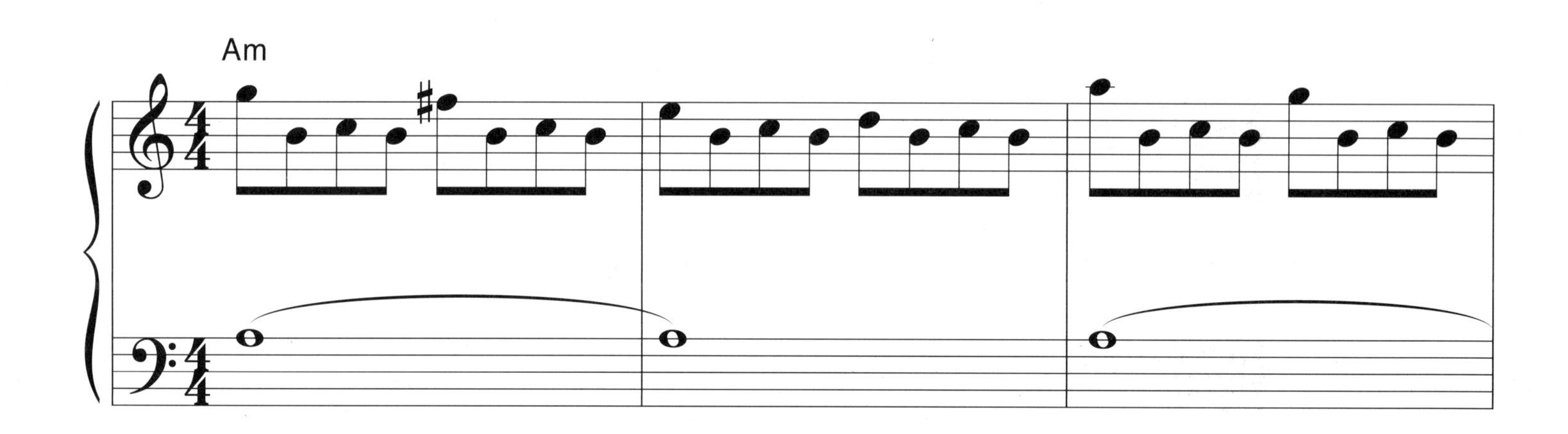

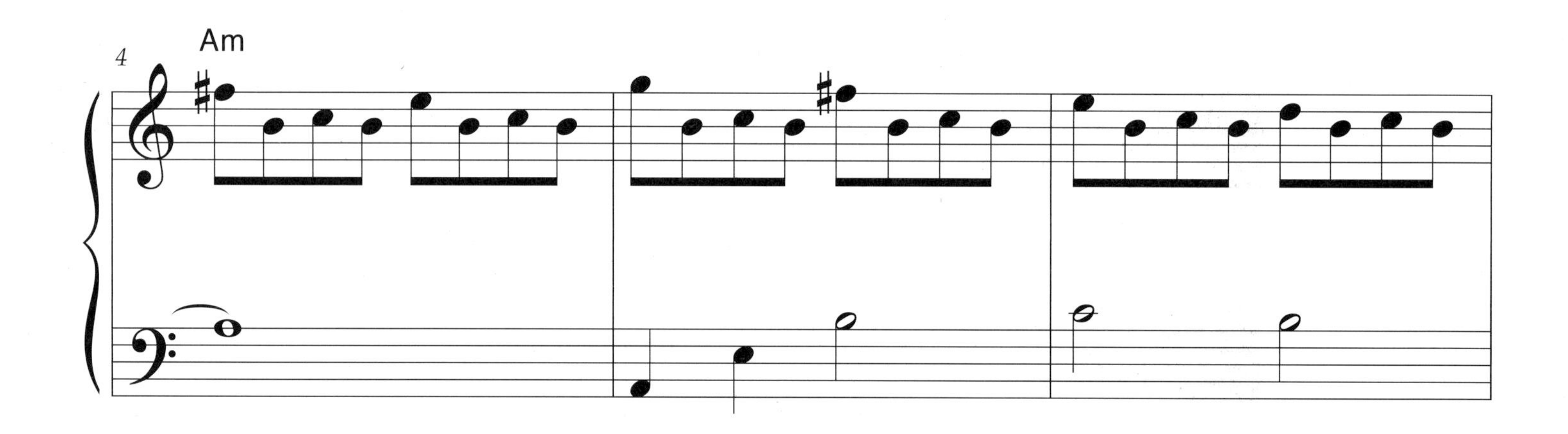

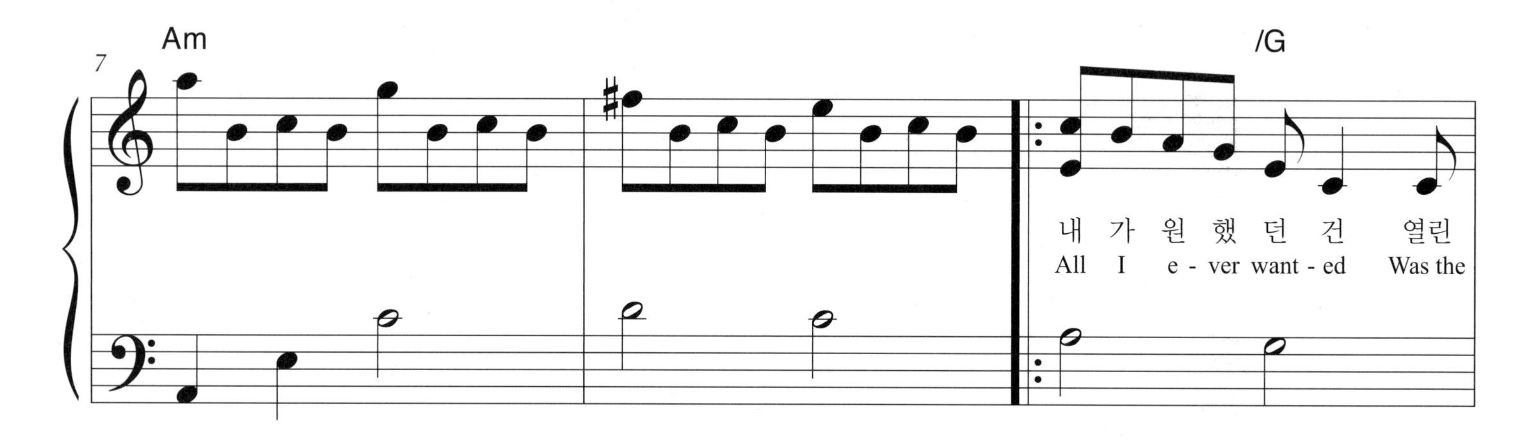

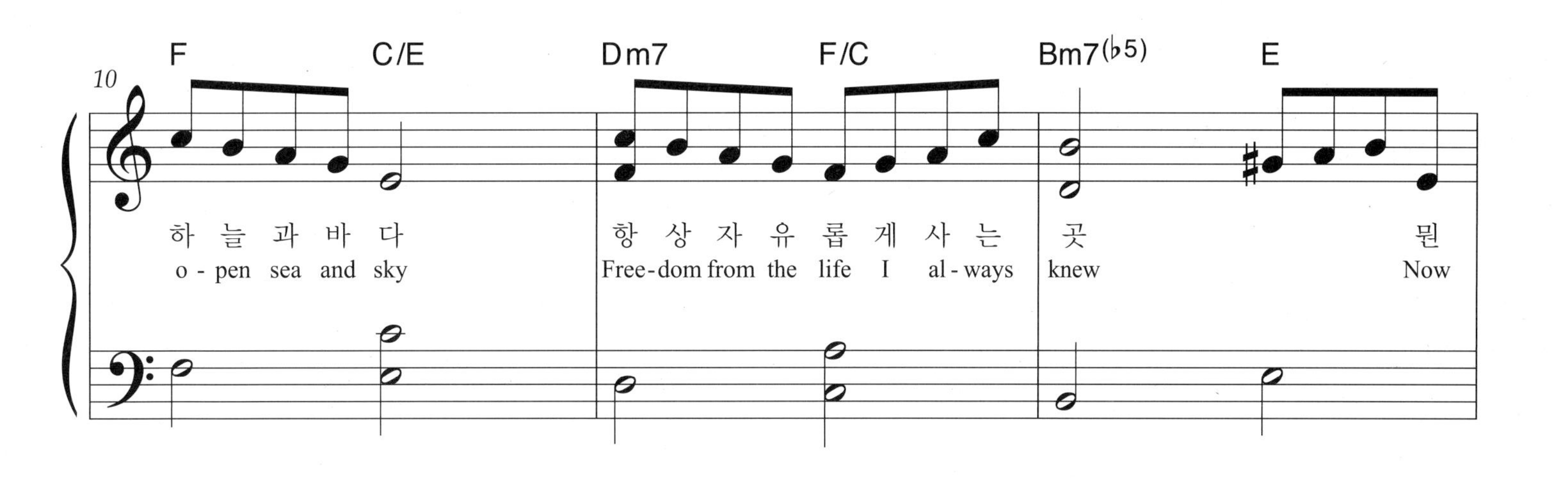

F C/E Dm7 F/C Bm7(♭5) E
10
하 늘 과 바 다 항 상 자 유 롭 게 사 는 곳 뭔
o - pen sea and sky Free-dom from the life I al - ways knew Now

Am /G F C/E Dm7
13
가 에 홀 린 듯 이 한 없 이 헤 매 는 내 생 각 은 오 직 하 나
all I am is haunt - ed As days and hours roll by All I e - ver think a - bout —

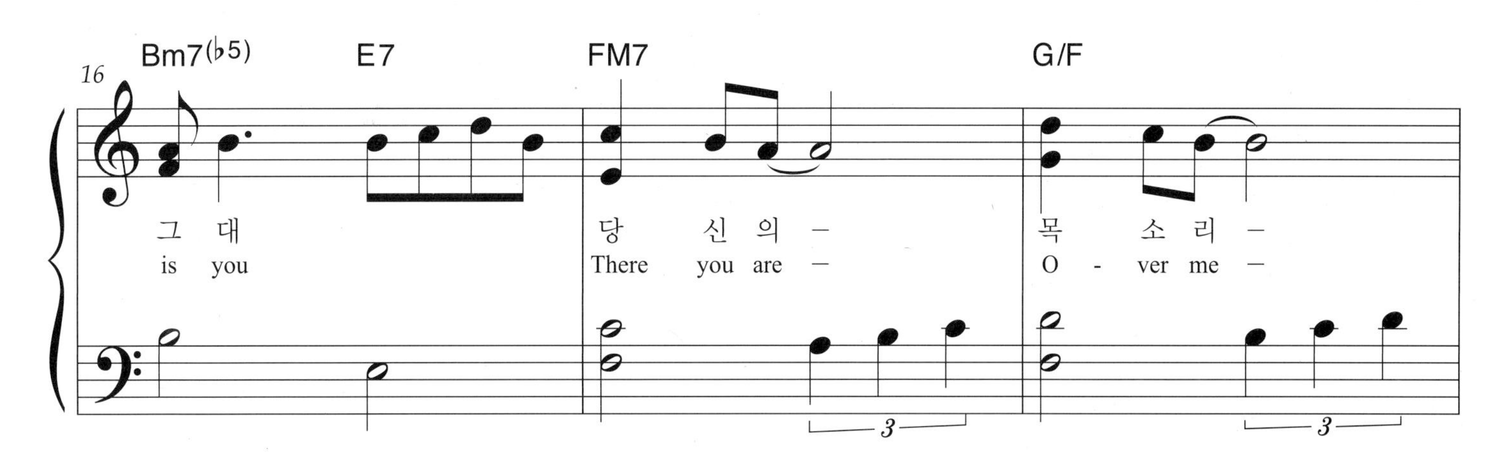

Bm7(♭5) E7 FM7 G/F
16
그 대 당 신 의 — 목 소 리 —
is you There you are — O - ver me —
3
3

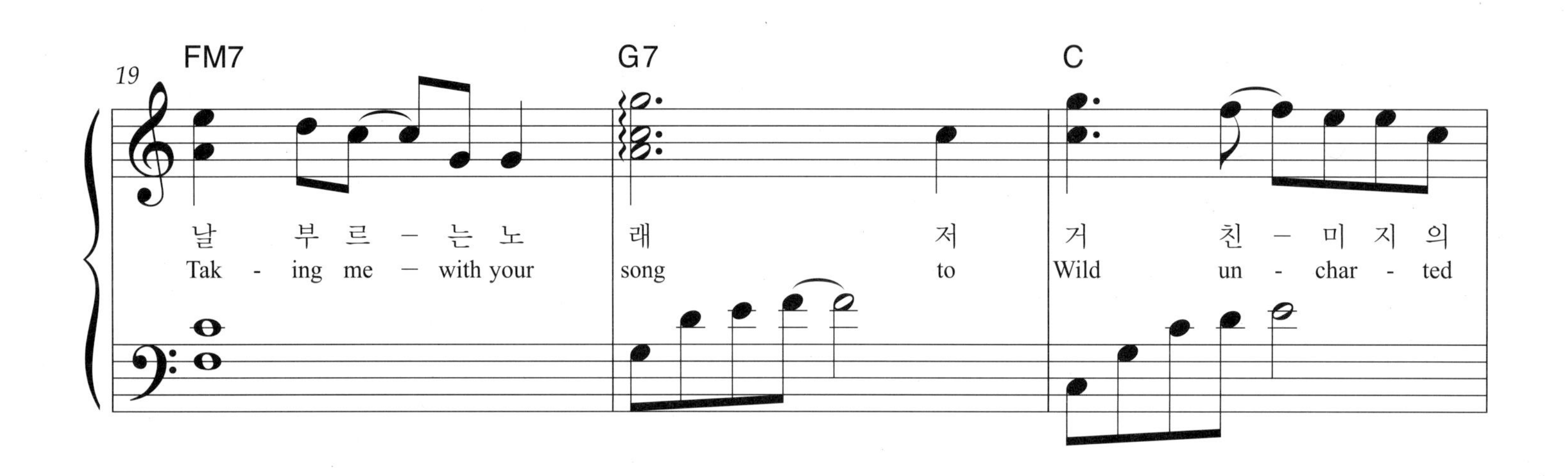
19
FM7
G7
C
날 부르 – 는 노 래 저 거 친 – 미 지 의
Tak - ing me — with your song to Wild un - char - ted

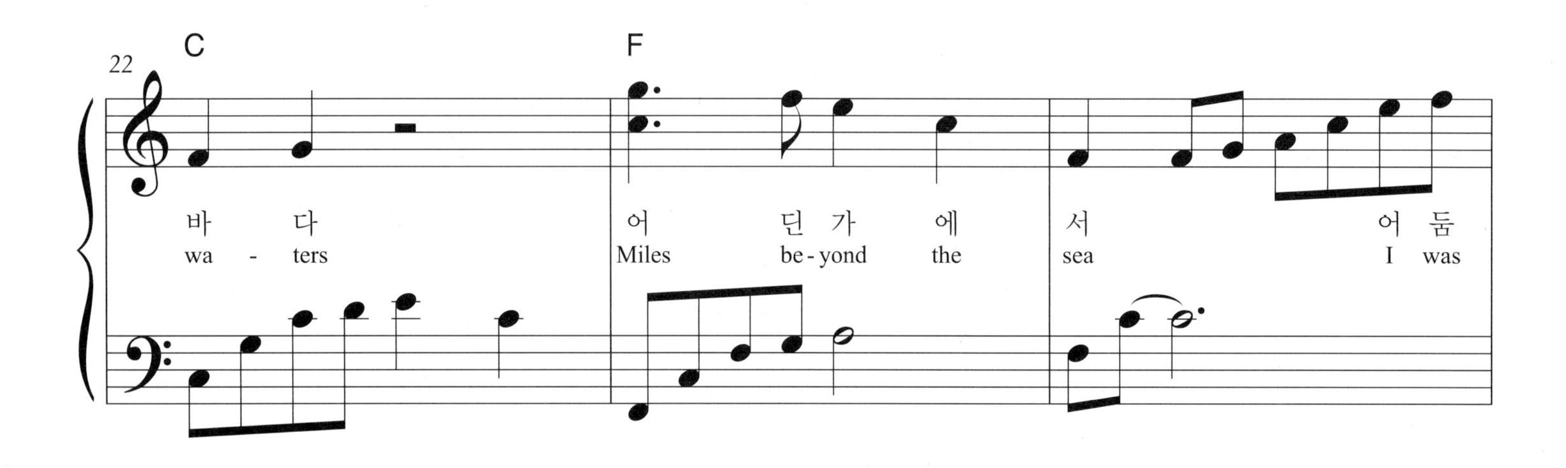
22
C
F
바 다 어 딘 가 에 서 어 둠
wa - ters Miles be - yond the sea I was

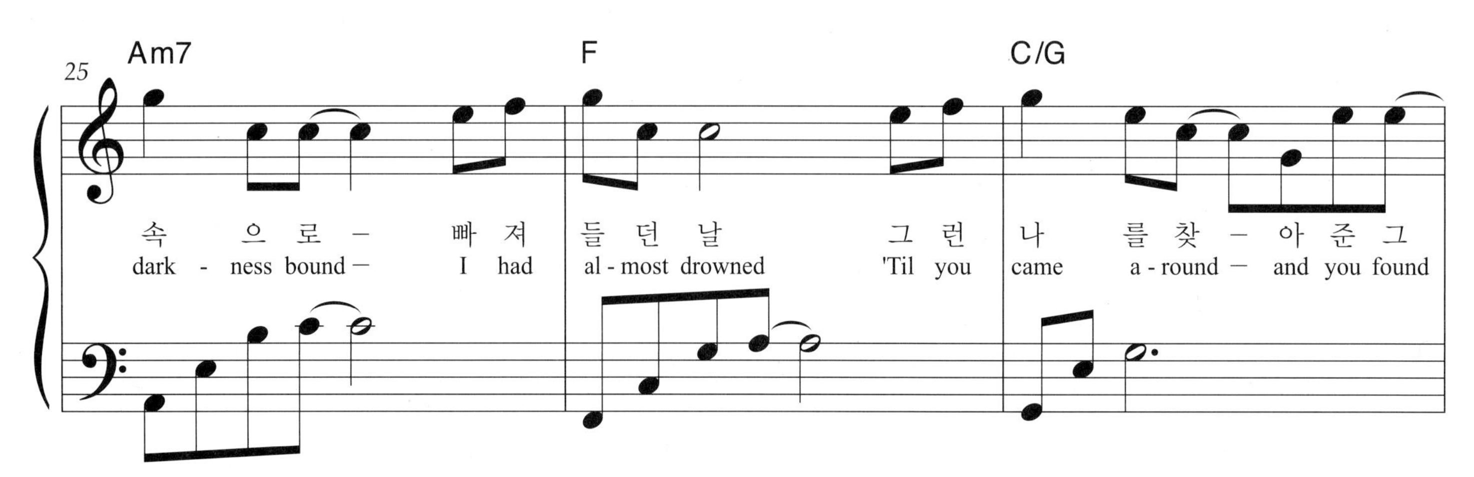
25
Am7
F
C/G
속 으 로 – 빠 져 들 던 날 그 런 나 를 찾 – 아 준 그
dark - ness bound — I had al - most drowned 'Til you came a - round — and you found

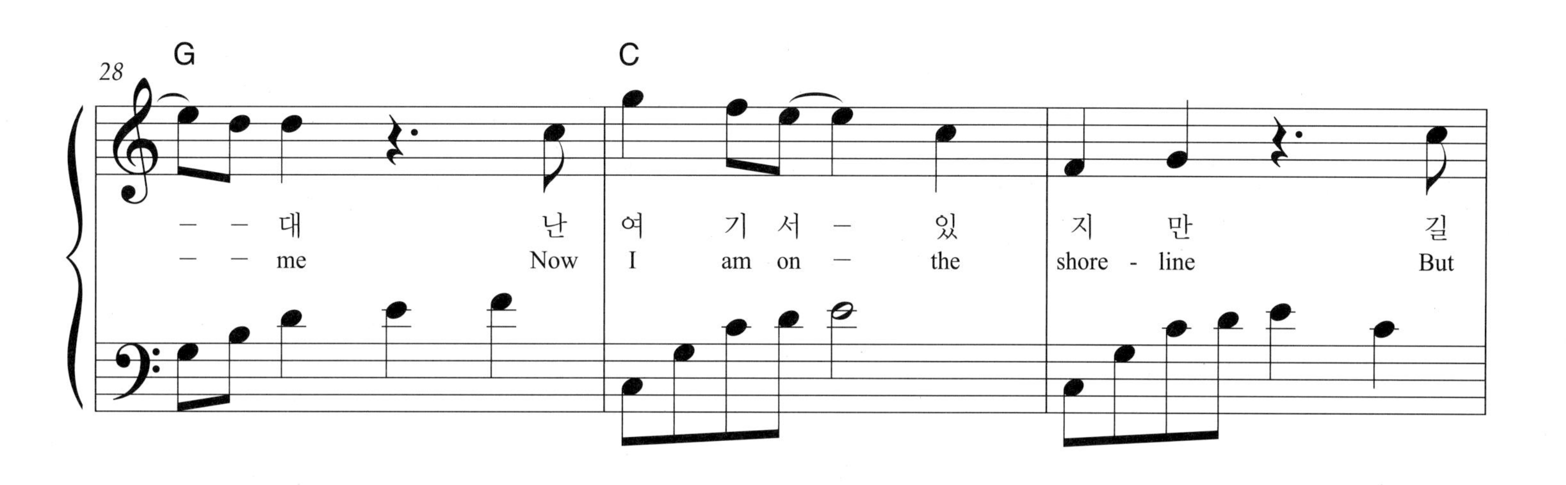
28
G
C
— — 대 난 여 기 서 — 있 지 만 길
— — me Now I am on — the shore - line But

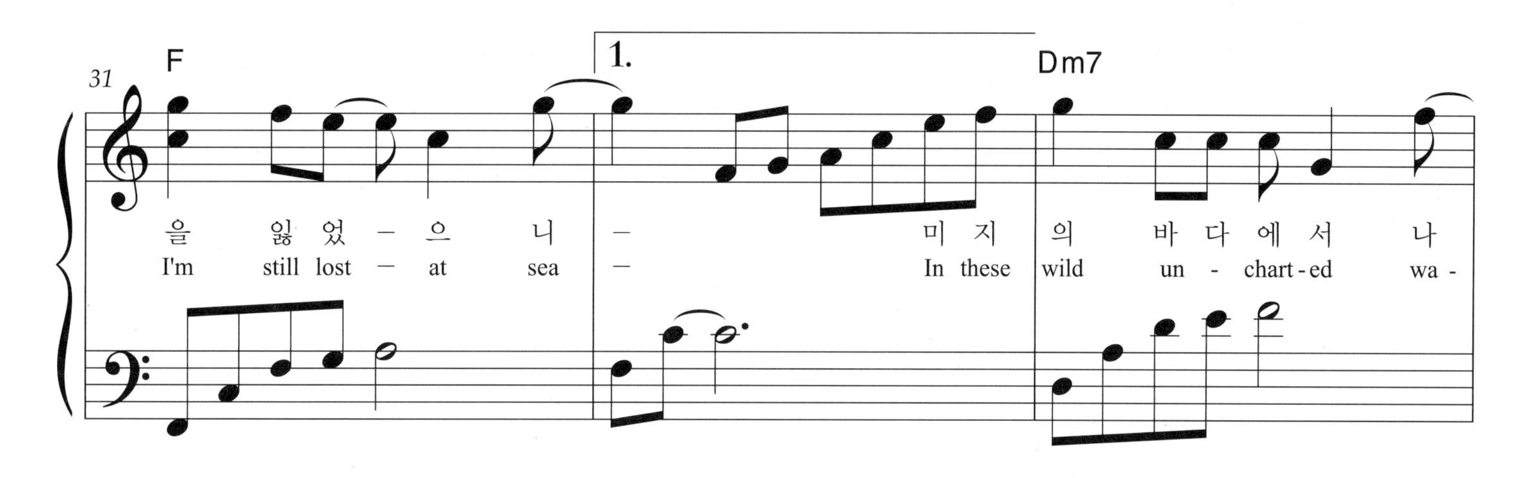
31
F
1.
Dm7
을 잃 었 — 으 니 — 미 지 의 바 다 에 서 나
I'm still lost — at sea — In these wild un - chart-ed wa -

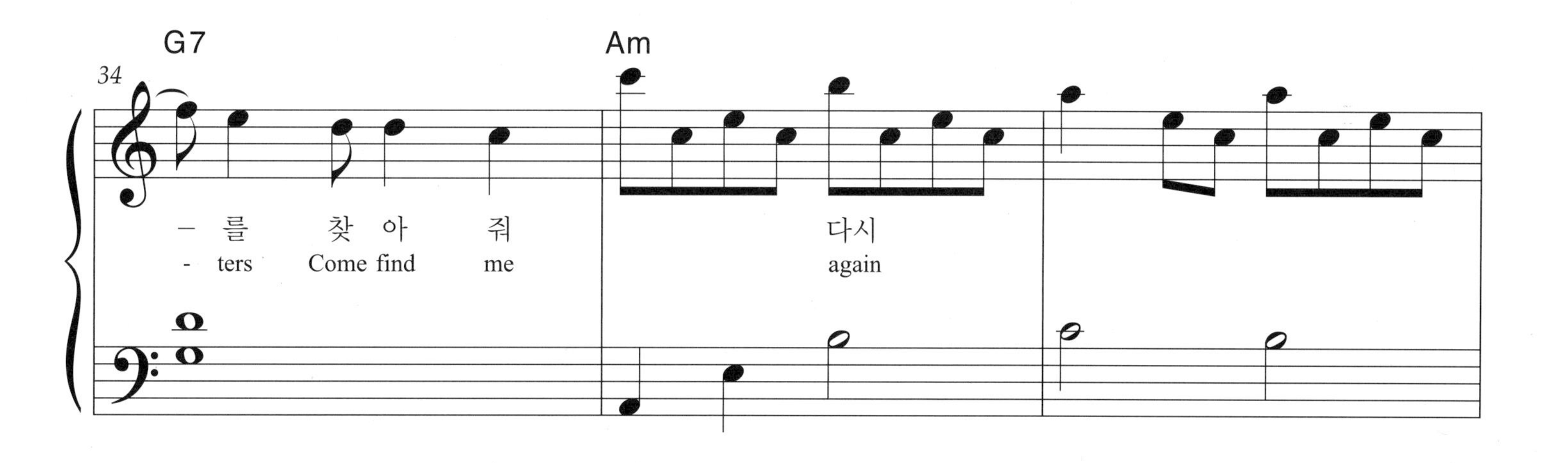
34
G7
Am
— 를 찾 아 줘 다시
- ters Come find me again

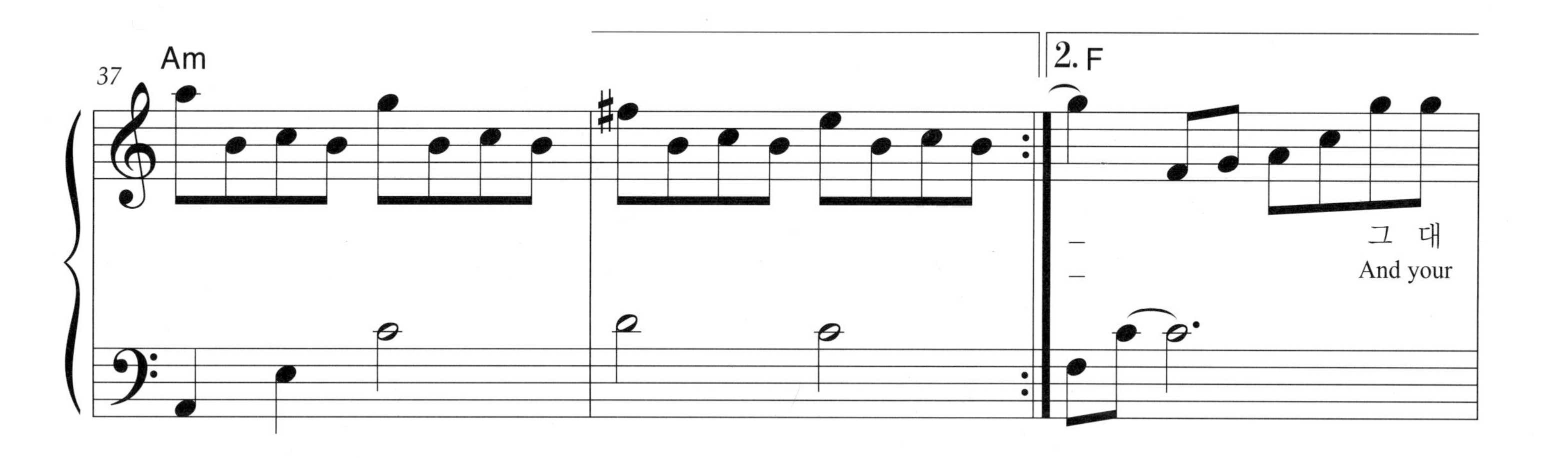
37
Am
2. F
— 그 대
— And your

Dm
G7
D
목 소 리 – 날 자 꾸 부 르 네 저 거 친 – 미 지 의
voice is like – A si - ren that guides me to Wild un - chart - ed
D
G
바 다 그 대 하 고 나 – 만 같 이
wa - ters A - lone just you and – me And I
Bm7
GM7
D/A
있 을 수 – 있 는 그 모 습 어 딜 가 도 찾 을 수 가
hope you're there – in the o - pen air There's no map or com-pass to guide
A
D
– 없 어 해 변 은 – 변 해 도 난
– me no Time may change – the shore - line But

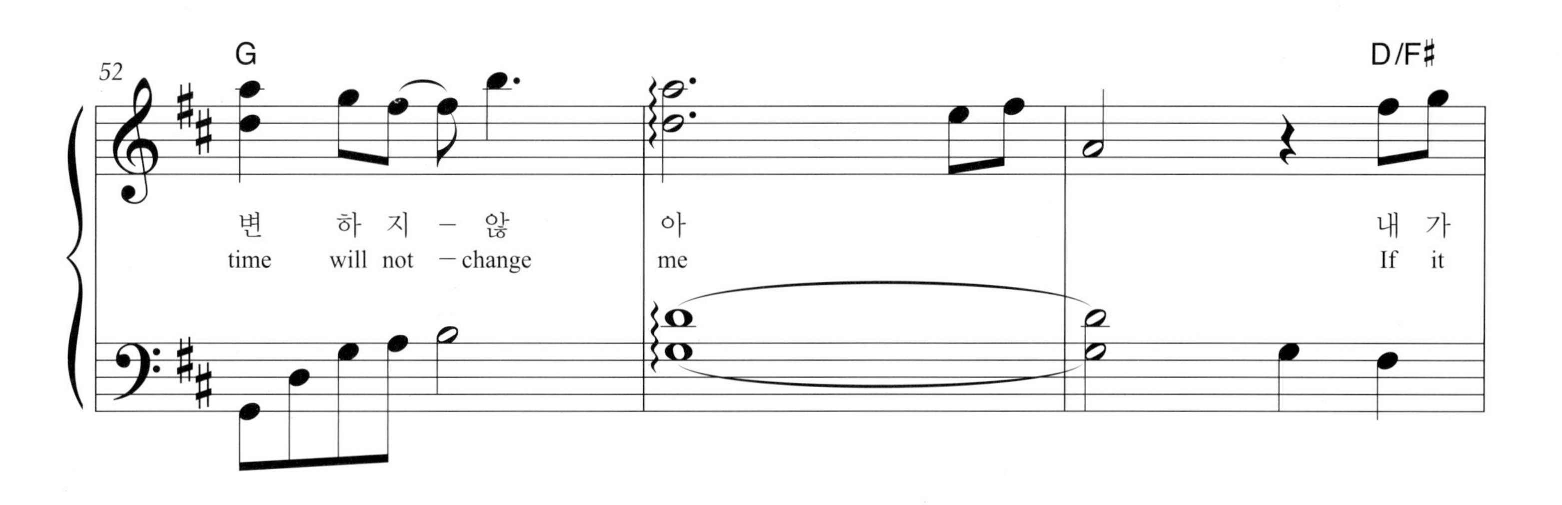

G
D/F♯
52
변 하 지 – 않
time will not – change
아
me
내 가
If it

Em7
D/F♯
G
A
Bm
Bm6
55
죽 어 도 – 그 댈
takes my life – I will
만 날 수 만 – 있 다
fi - nal - ly find – you a -
면
gain

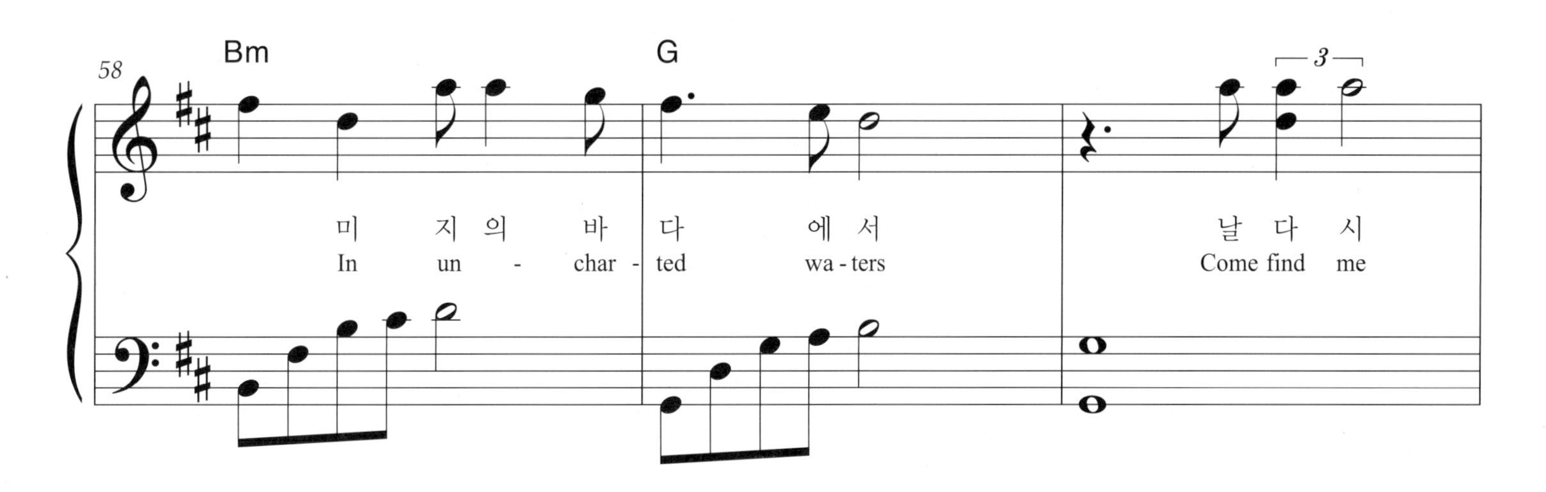

Bm
G
58
3
미 지 의 바
In un - char -
다 에 서
ted wa - ters
날 다 시
Come find me

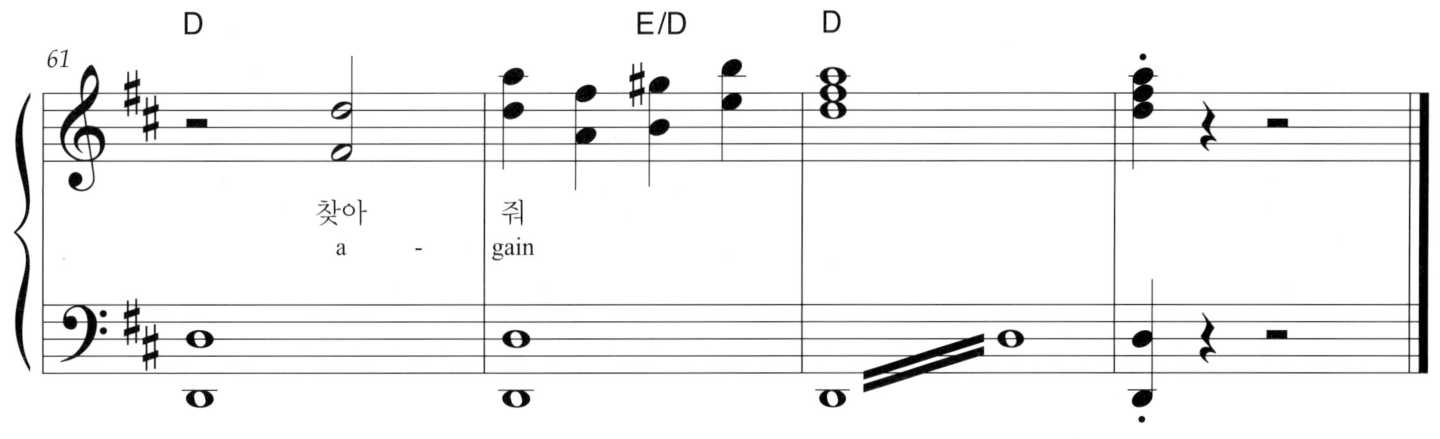

D
E/D
D
61
찾아 줘
a - gain

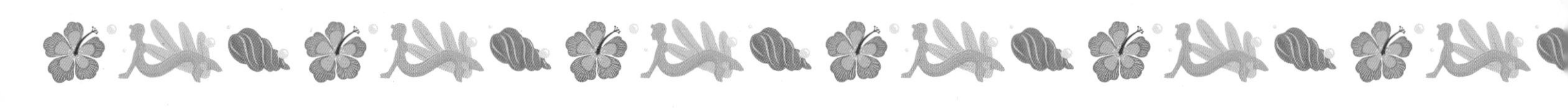

Poor Unfortunate Souls

불쌍한 영혼

하워드 애쉬먼 **작사**
앨런 멩컨 **작곡**

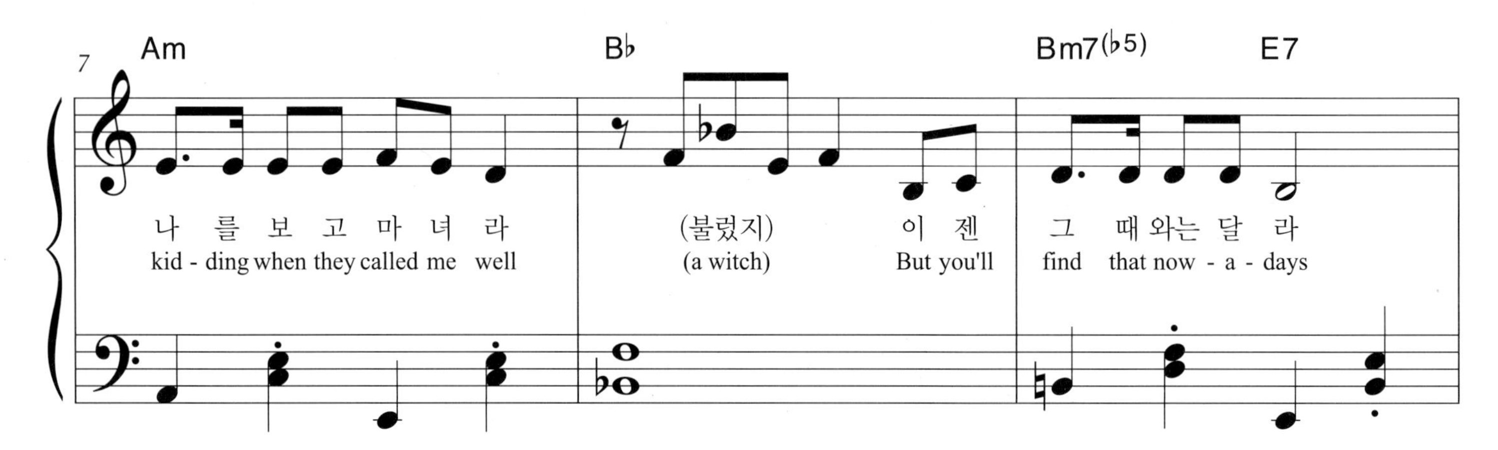

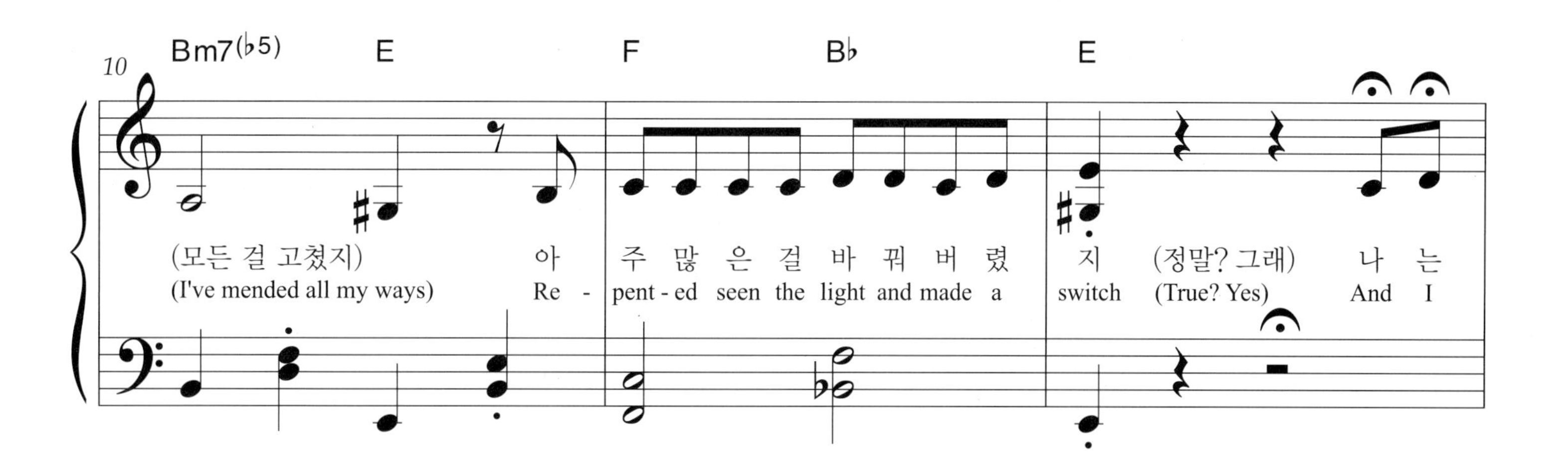
10
Bm7(♭5) E F B♭ E
(모든 걸 고쳤지) 아 주 많 은 걸 바 꿔 버 렸 지 (정말? 그래) 나 는
(I've mended all my ways) Re - pent - ed seen the light and made a switch (True? Yes) And I

13
Am
다 행 히 도 마 술 을 좀 하 지 그 건 내 가 갖 고 있 는 재 주
for - tu - nate - ly know a lit - tle mag - ic It's a tal - ent that I al - ways have pos -

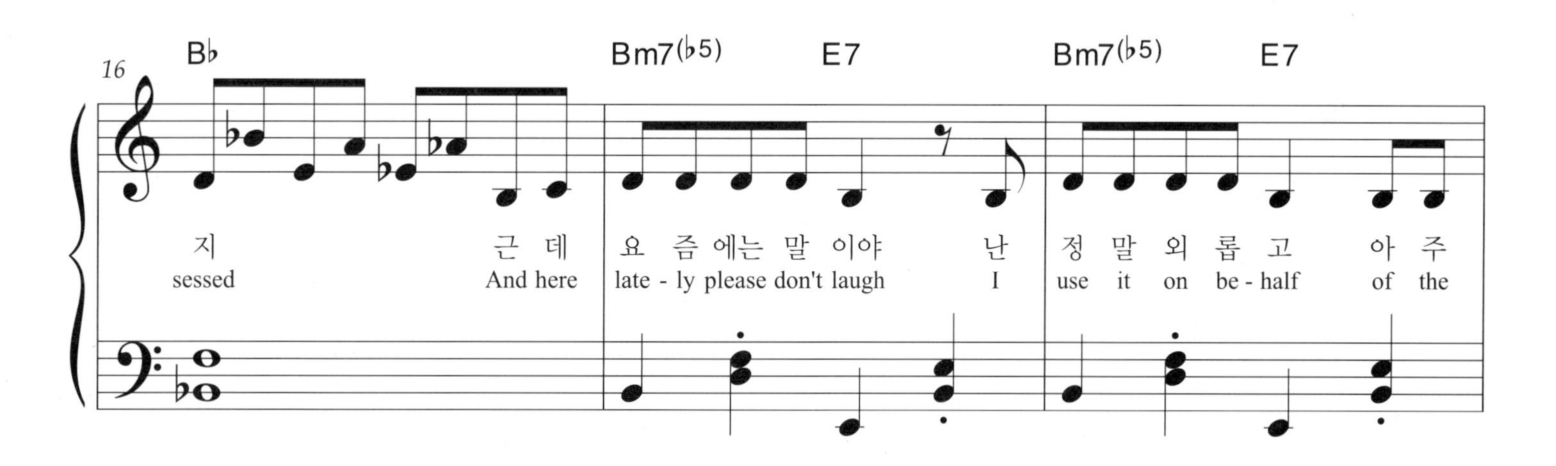
16
B♭ Bm7(♭5) E7 Bm7(♭5) E7
지 근 데 요 즘 에는 말 이야 난 정 말 외 롭 고 아 주
sessed And here late - ly please don't laugh I use it on be - half of the

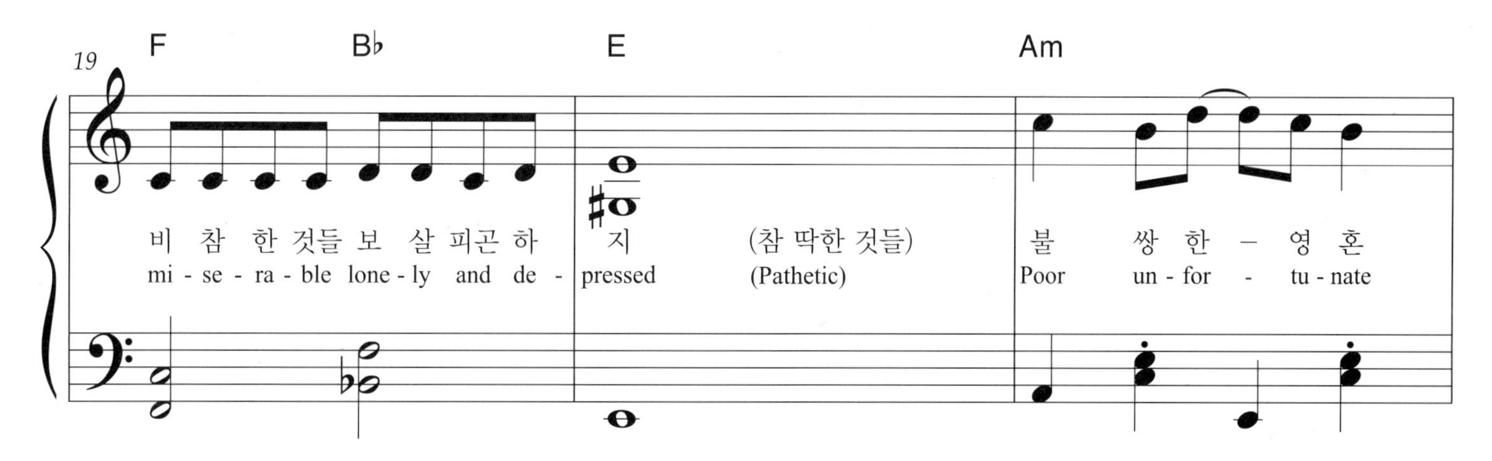
19
F B♭ E Am
비 참 한 것들 보 살 피곤 하 지 (참 딱한 것들) 불 쌍 한 – 영 혼
mi - se - ra - ble lone - ly and de - pressed (Pathetic) Poor un - for - tu - nate

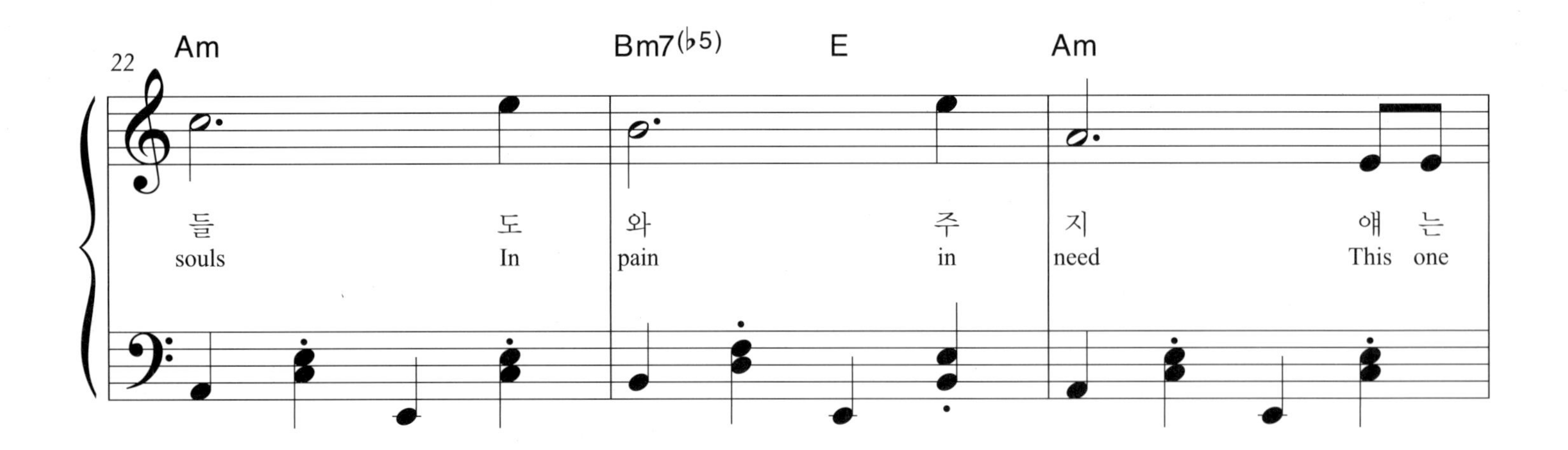
22
Am
Bm7(♭5)
E
Am
들 도 와 주 지 애 는
souls In pain in need This one

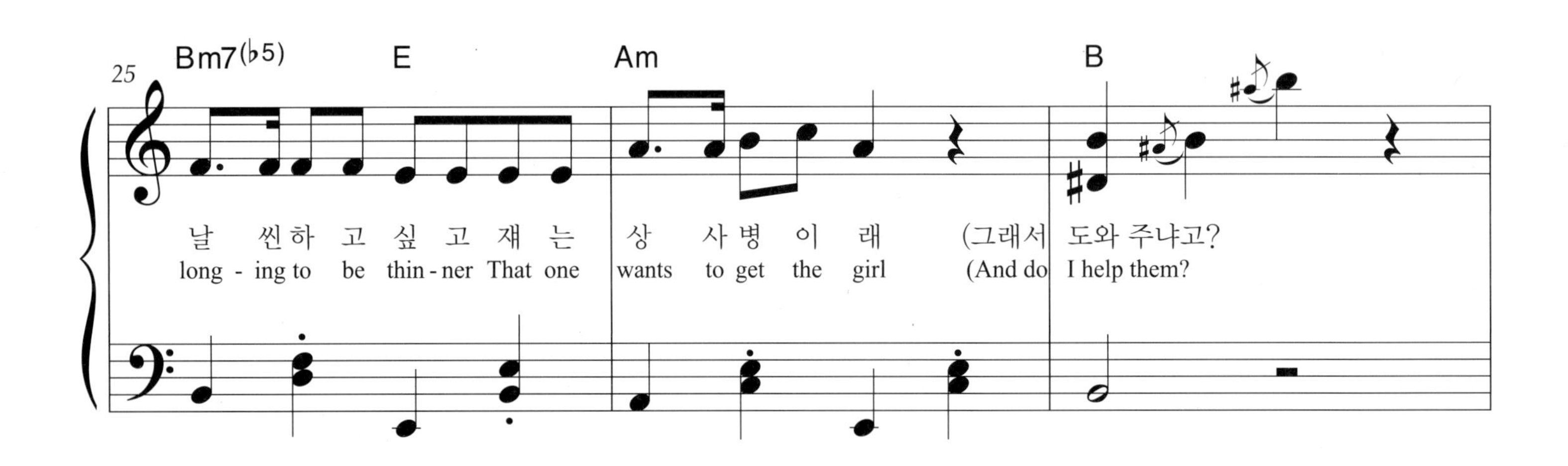
25
Bm7(♭5)
E
Am
B
날 씬하 고 싶 고 재 는 상 사 병 이 래 (그래서 도와 주냐고?
long - ing to be thin - ner That one wants to get the girl (And do I help them?

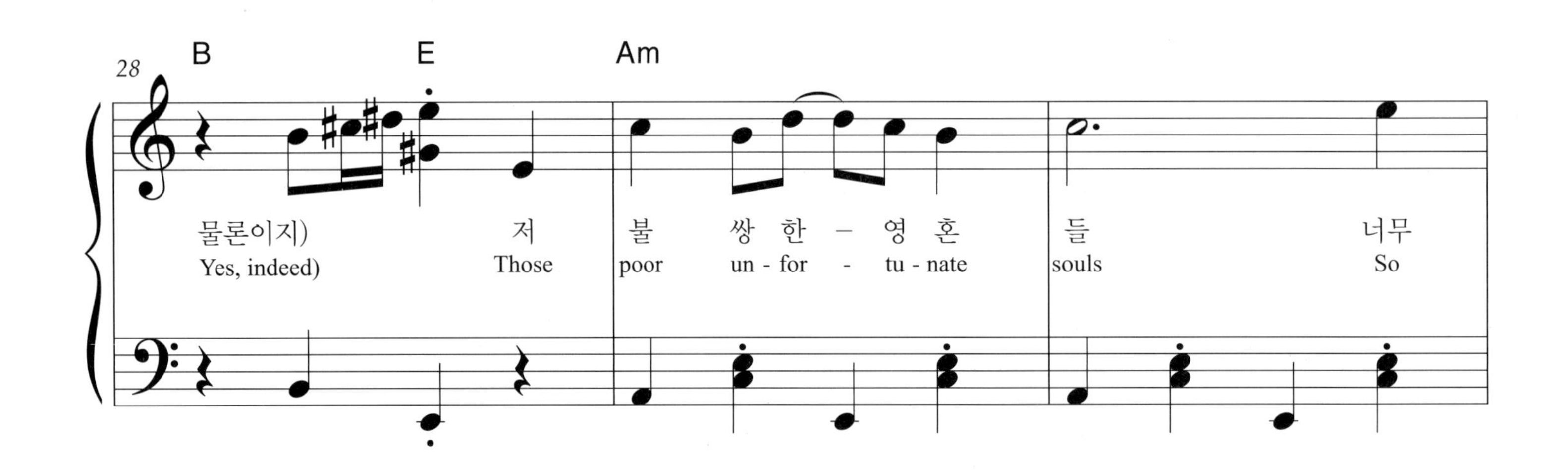
28
B
E
Am
물론이지) 저 불 쌍 한 – 영 혼 들 너무
Yes, indeed) Those poor un - for - tu - nate souls So

31
Bm7(♭5)
E
Am
Bm7(♭5)
E
나 가여 워 내 게 달 려와 서 (애걸해
sad so true They come flock - ing to my cauldron (Crying

34
Am
B7
E
Am
3
울슐라 살려줘) 그 럼 내 가 도 와 주 지 (가끔
Spells, Ursula, please) And I help them Yes I do (Now

37
Dm6
Esus4
E
3
얌체 같은 것들도 있지 내가 도와줬는데) 내 은 혜 를 모르면혼 내 줄 수 밖
it's happened once or twice Someone couldn't pay the price) And I'm a - fra - id I had to rake 'em cross — the

40
E
Am
B♭
F
B♭
에 (사실 짜증나는 일들도 많지만) 언제나 도 와 준 다 네 정 말
coals (Yes, I've had the odd complaint) But on the whole I've been a saint To those

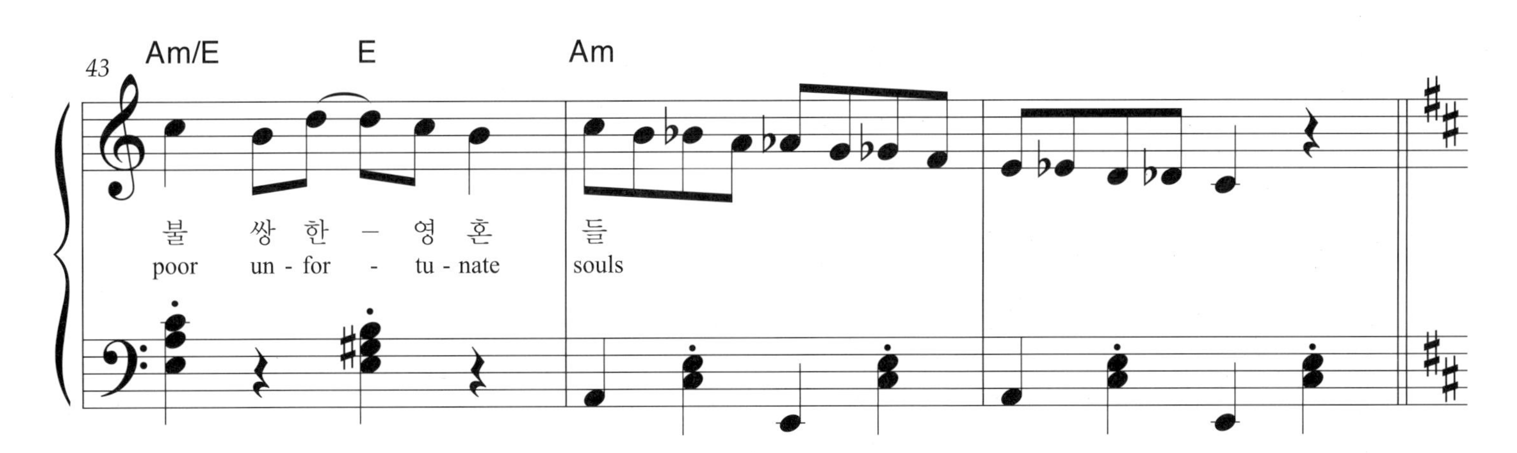
43
Am/E
E
Am
불 쌍 한 – 영 혼 들
poor un - for - tu - nate souls

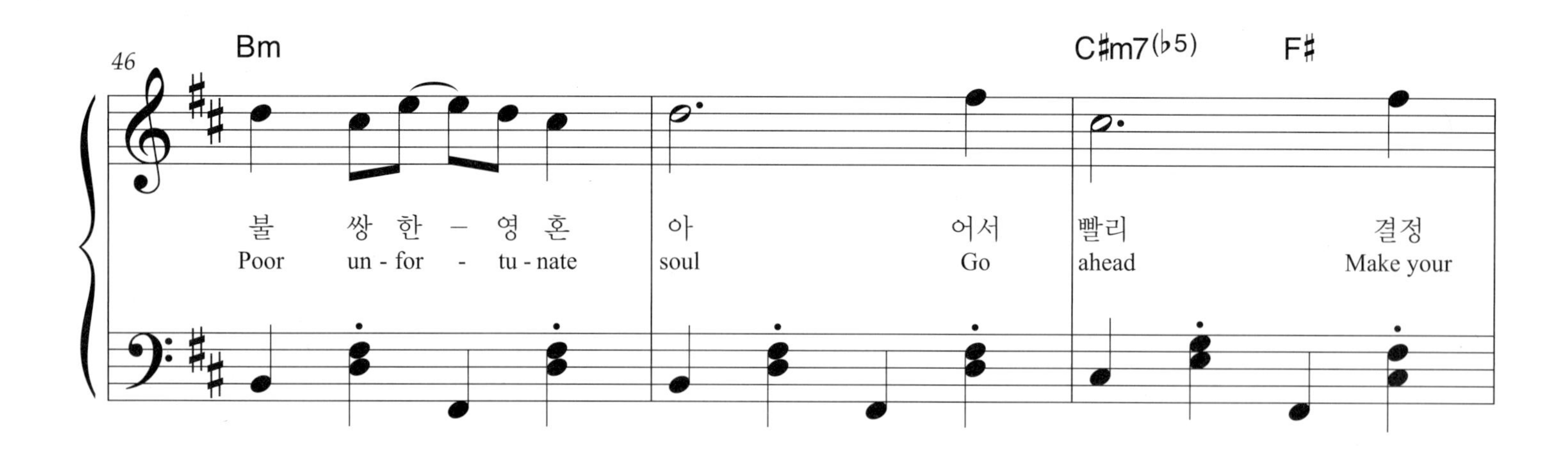
46
Bm
C♯m7(♭5)
F♯
불 쌍 한 – 영 혼
Poor un - for - tu - nate
아 어서
soul Go
빨리 결정
ahead Make your

49
Bm
C♯m7(♭5)
F♯
Bm
해 나 는
choice I'm a
아 주바 쁘 니 까 (단
ve - ry bu - sy wo - man (and
하루도 못 기다려
I haven't got all day

52
C♯
F♯
Bm
내가 필요한 건
It won't cost much
네 목소리지) 이
Just your voice) You
불 쌍 한 – 영 혼
poor un - for - tu - nate

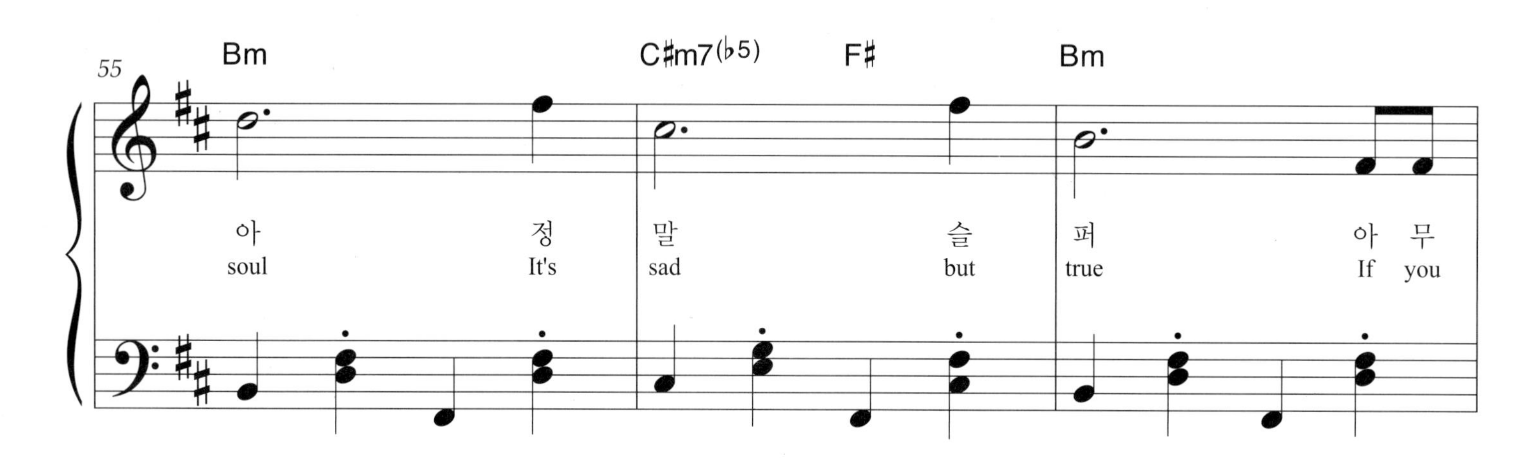
55
Bm
C♯m7(♭5)
F♯
Bm
아 정
soul It's
말 슬
sad but
퍼 아 무
true If you

58
C♯m7(♭5)
F♯
Bm
C♯m7(♭5)
F♯
대 가 없 이 그 냥 다 릴
want to cross a brid - ge my sweet
(가질 순 없지
(You've got to pay the toll
어서 꼬리에서 비늘 떼고
Pluck a scale from off your tail

61
Bm
C♯m7(♭5)
F♯
피 한 방울 넣어
A drop of blood inside the bowl
얘들아
Flotsam,
이젠 내가 주인이야)
Jetsam, now I've got her, boys)
공
The

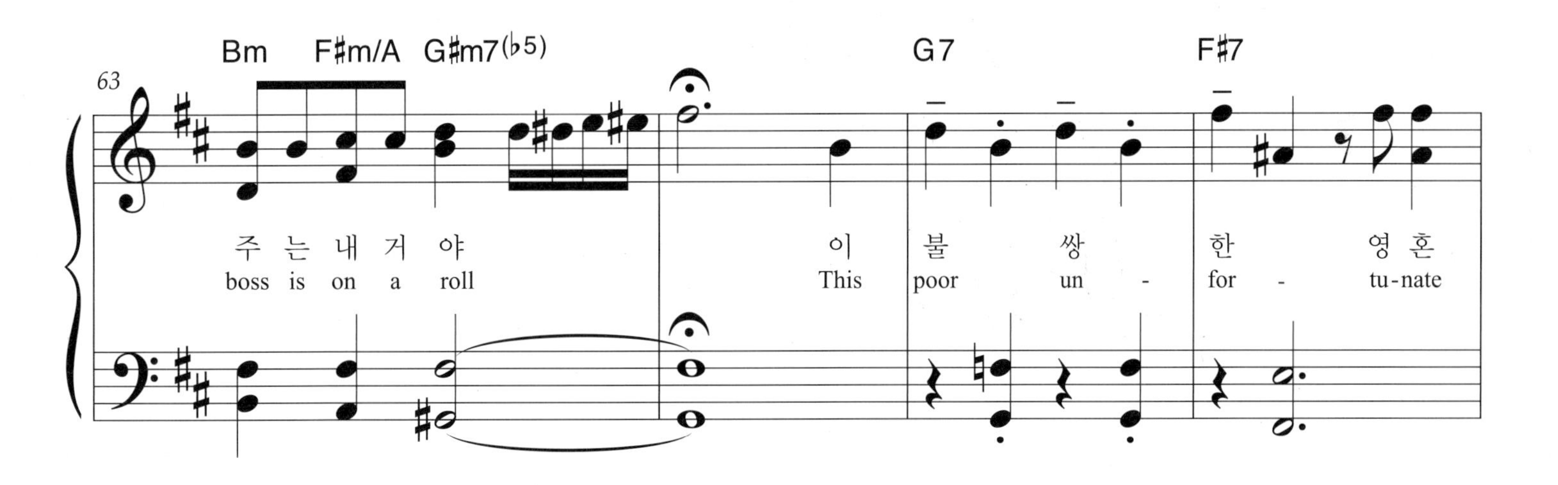

63
Bm
F♯m/A
G♯m7(♭5)
G7
F♯7
주 는 내 거 야
boss is on a roll
이
This
불 쌍 한 영 혼
poor un - for - tu-nate

67
Bm
아
soul

©Disney

Disney

인어공주

Special Sheet

Special Sheet

Part of Your World (Normal ver.)

저곳으로

하워드 애쉬먼 **작사**
앨런 멩컨 **작곡**

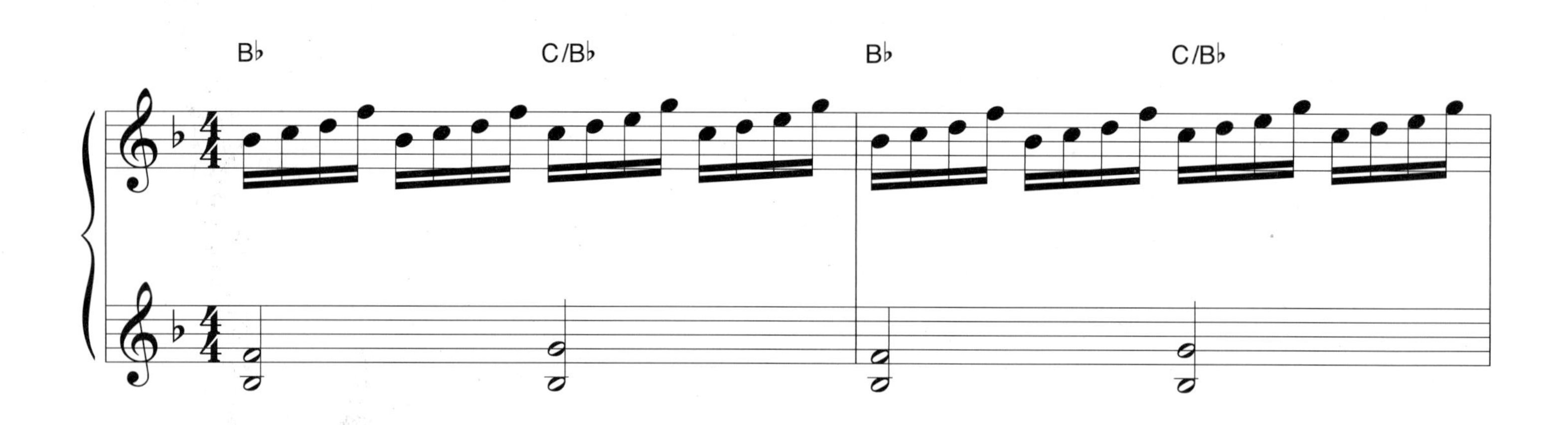

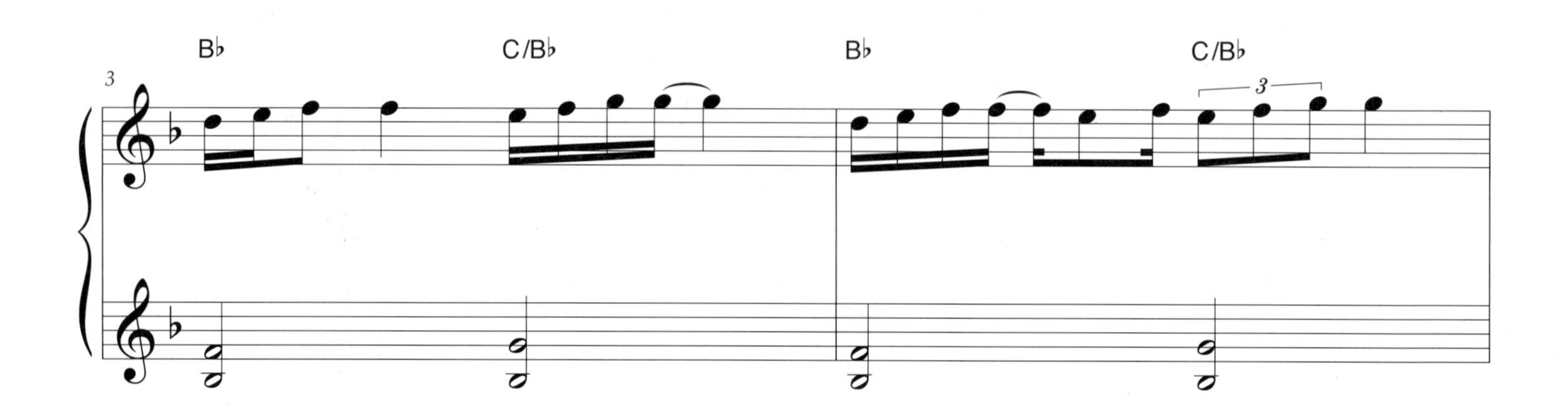

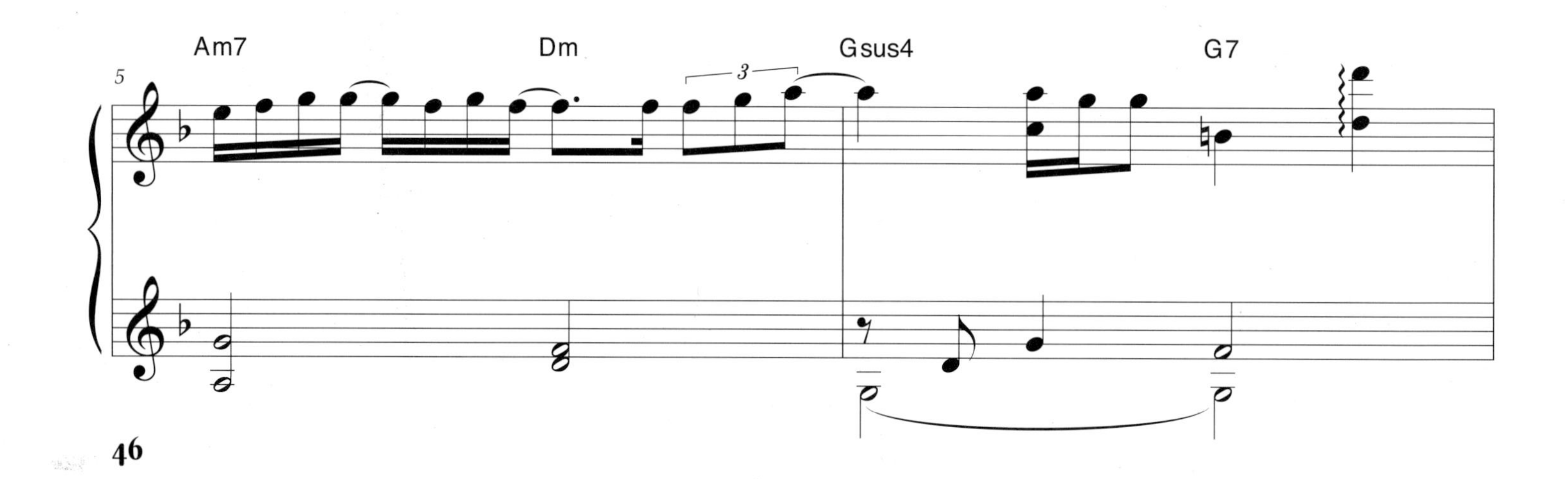

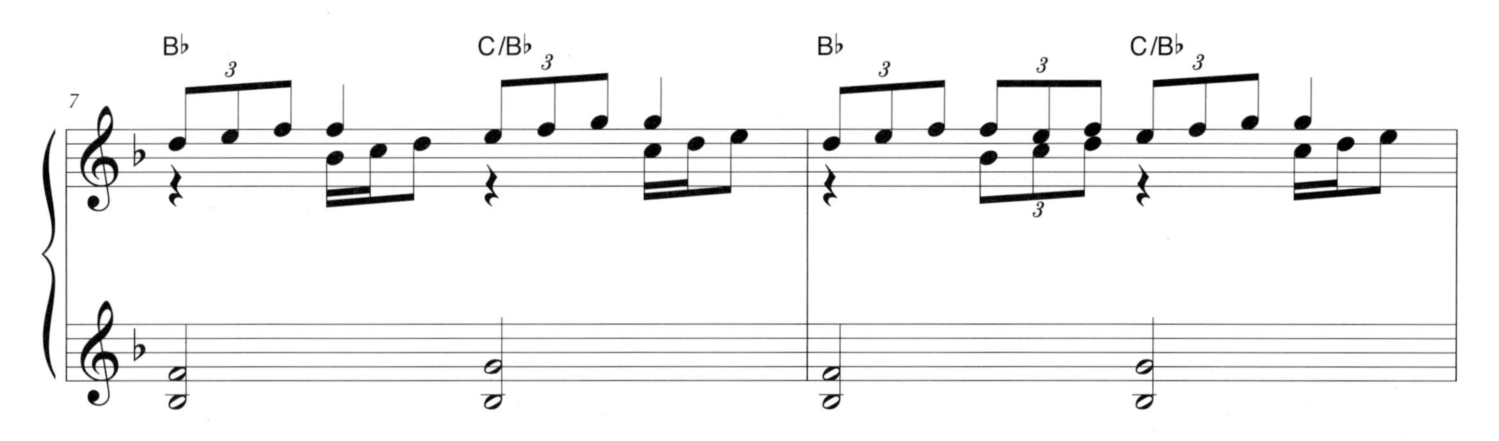
B♭
C/B♭
B♭
C/B♭
7
3

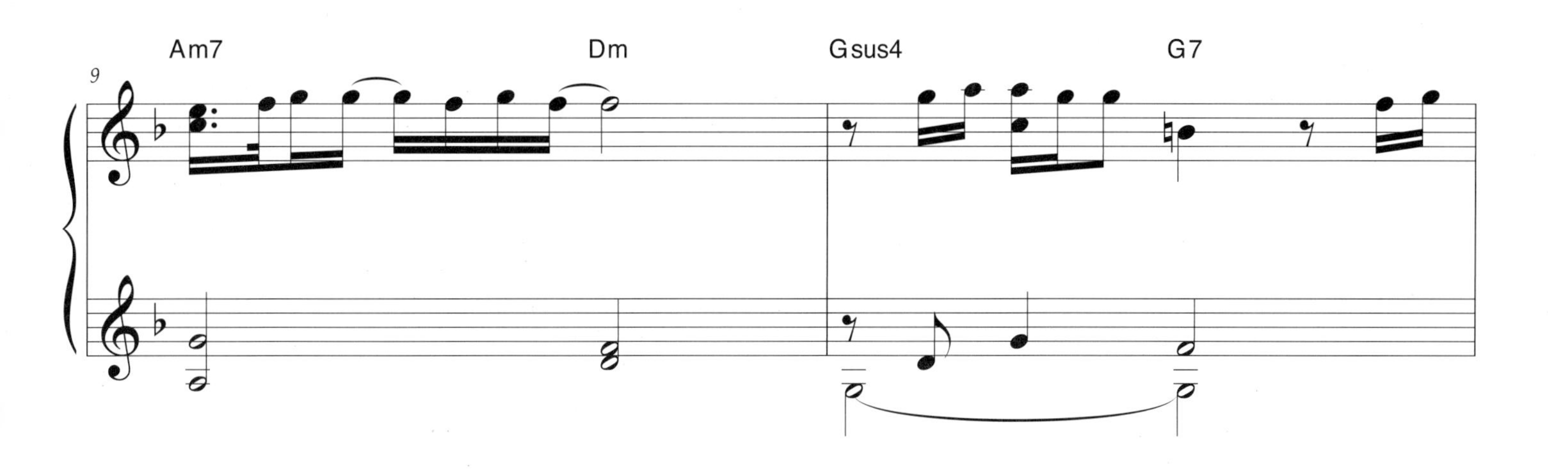
Am7
Dm
Gsus4
G7
9

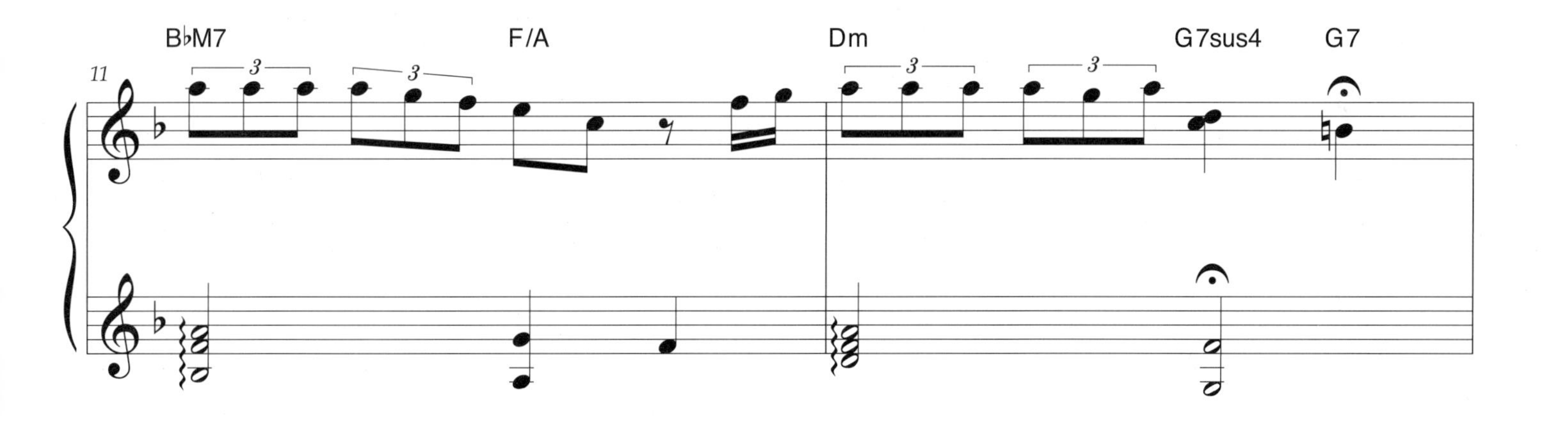
B♭M7
F/A
Dm
G7sus4
G7
11
3

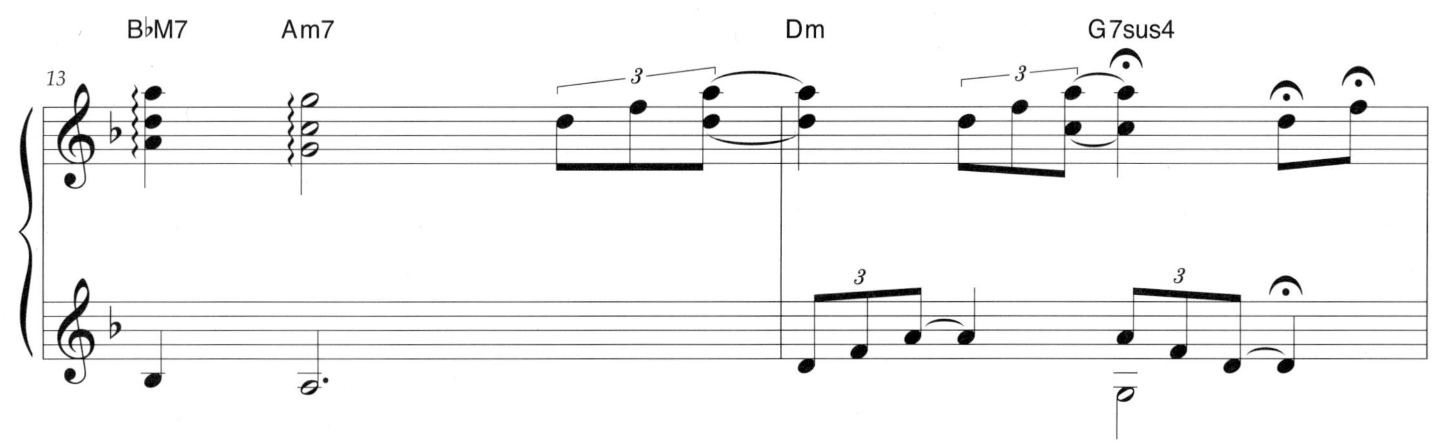
B♭M7
Am7
Dm
G7sus4
13
3

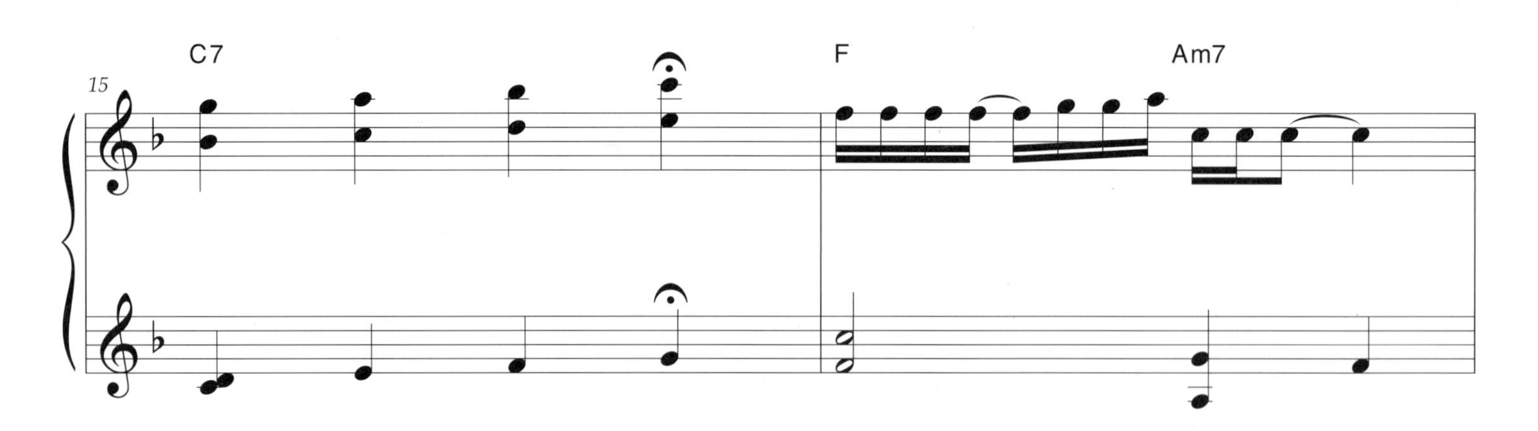
C7
F
Am7
15

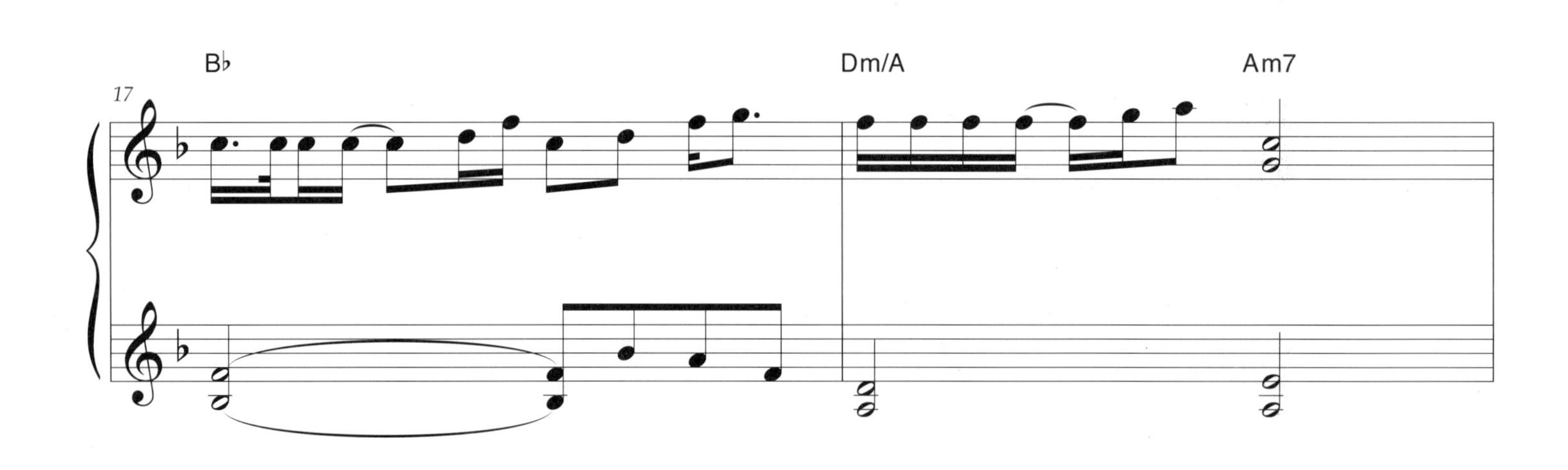
B♭
Dm/A
Am7
17

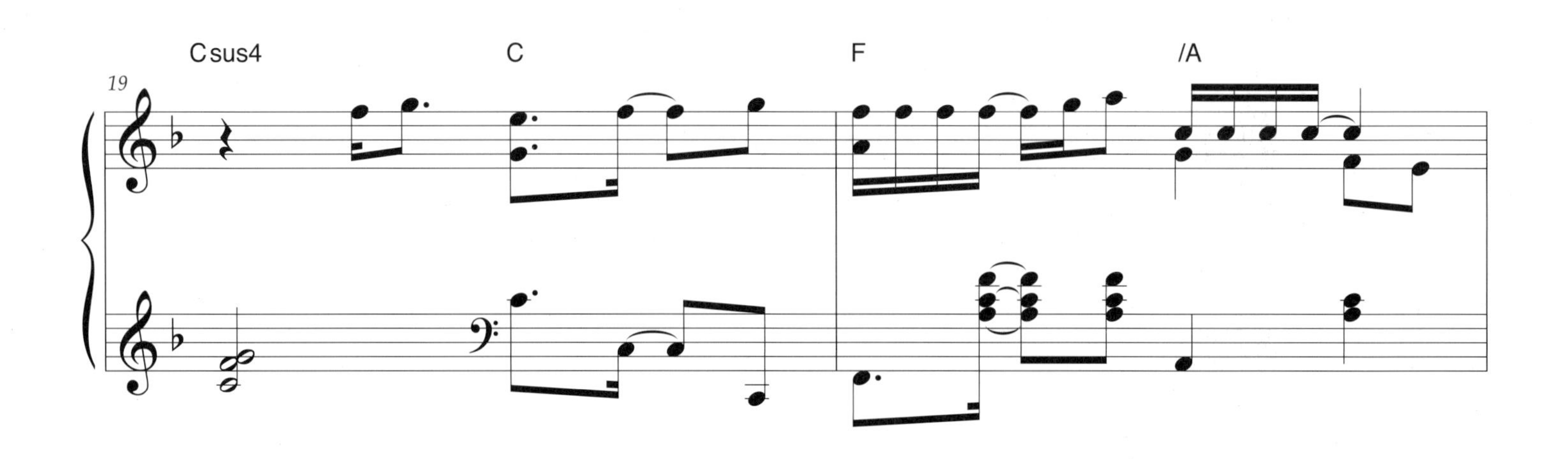
Csus4
C
F
/A
19

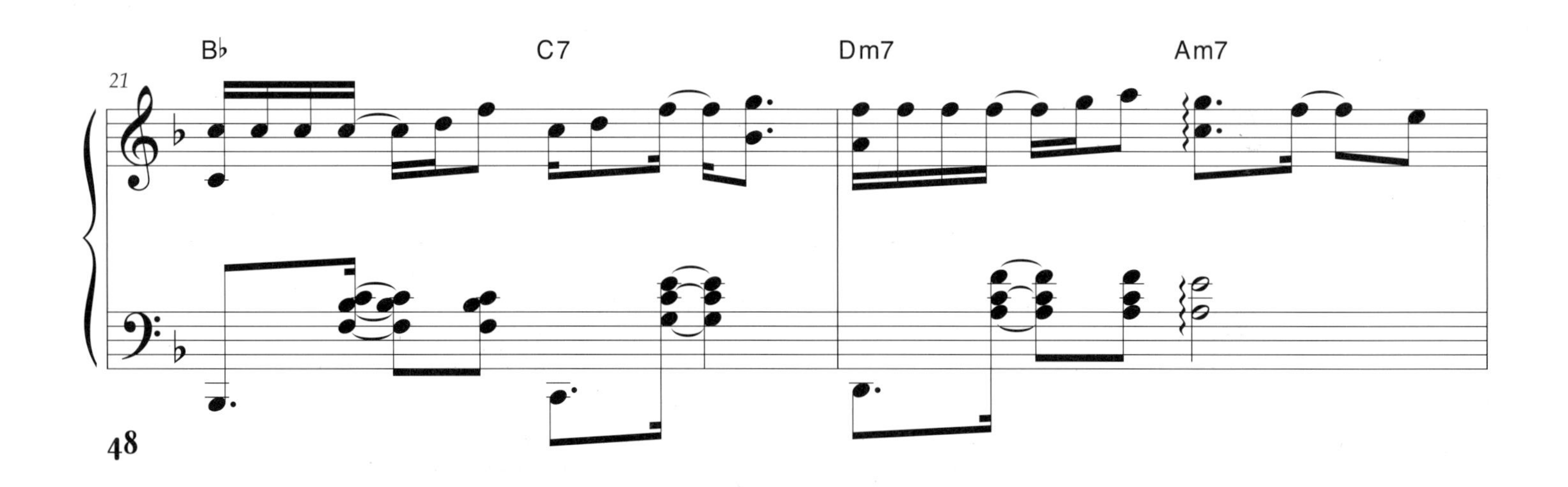
B♭
C7
Dm7
Am7
21

Csus4
C
F
/E♭
23
3

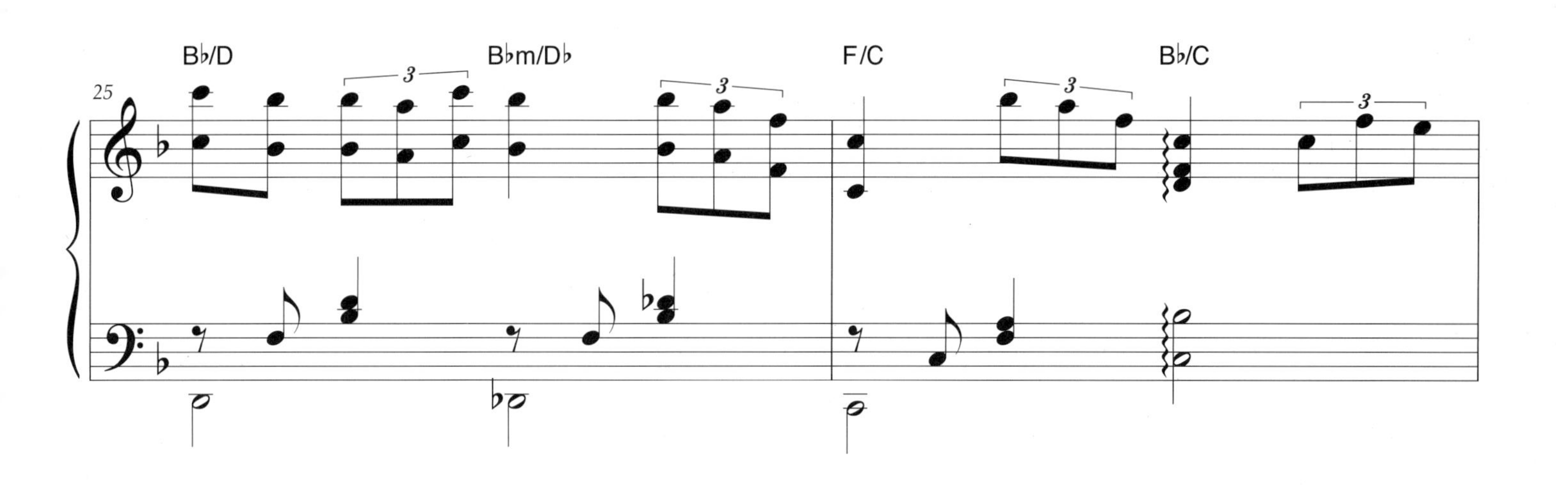

B♭/D
B♭m/D♭
F/C
B♭/C
25
3

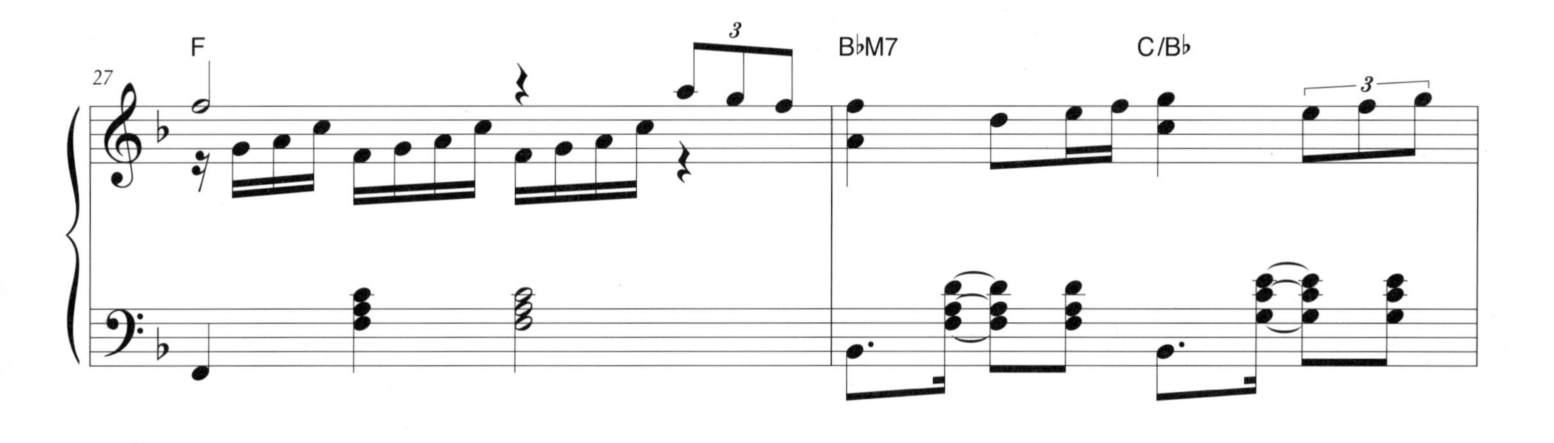

F
B♭M7
C/B♭
27
3

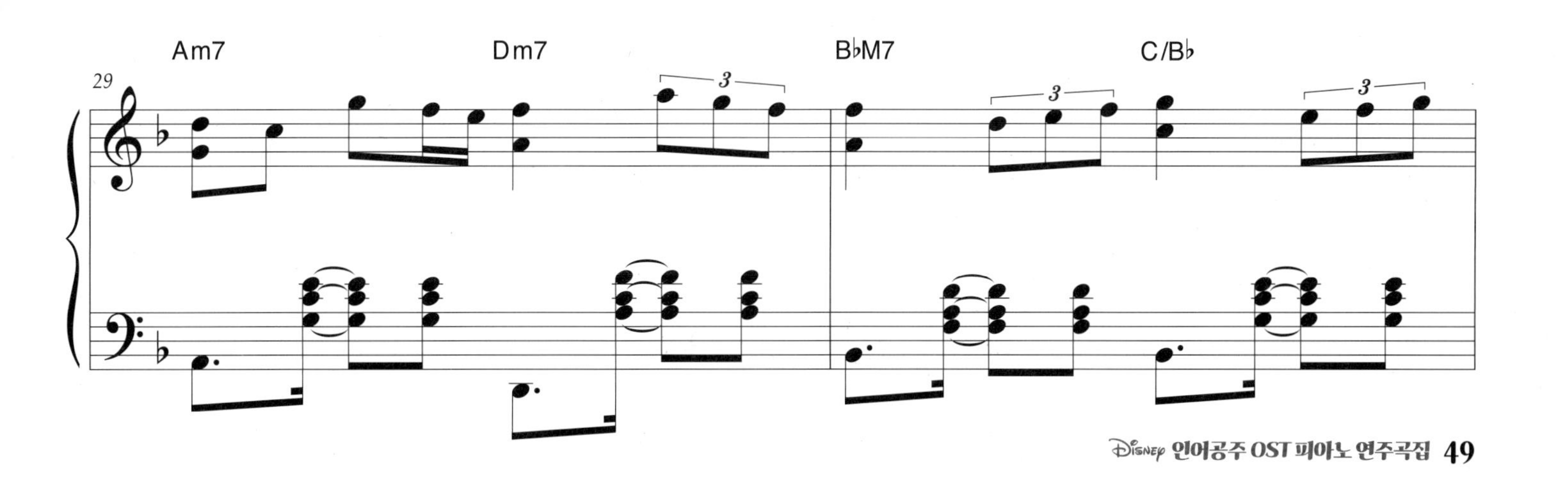

Am7
Dm7
B♭M7
C/B♭
29
3

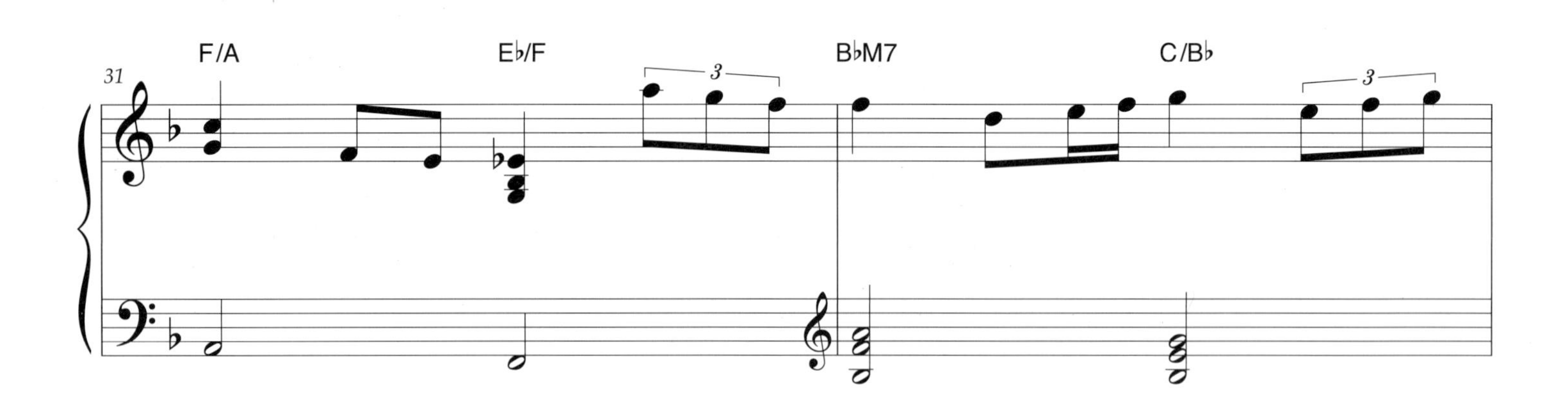
F/A
E♭/F
B♭M7
C/B♭

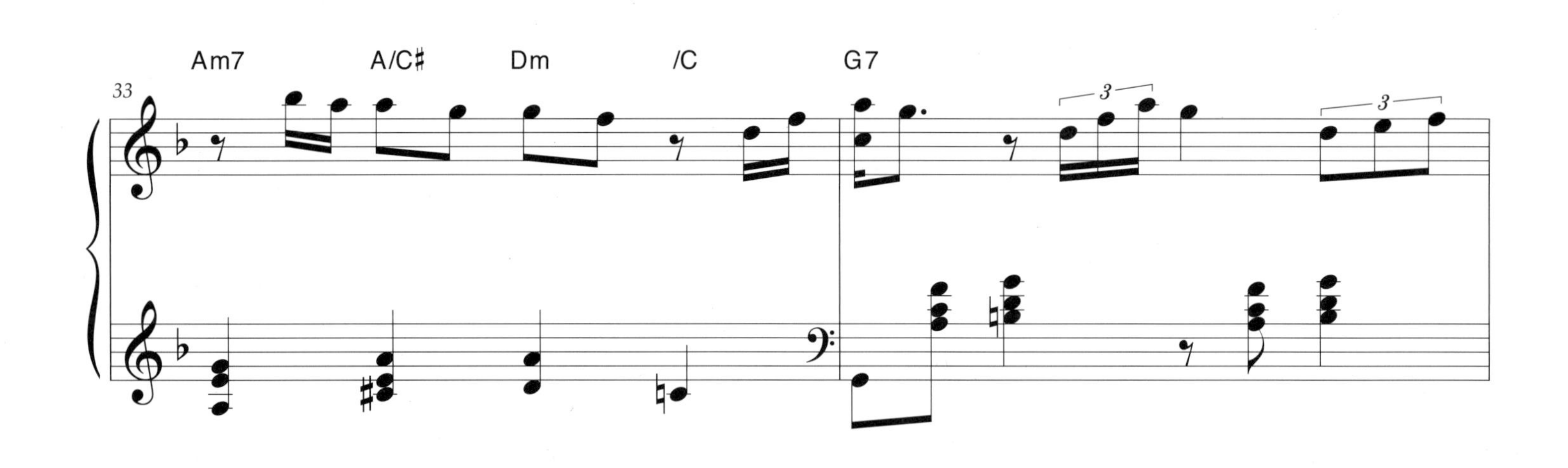
Am7
A/C♯
Dm
/C
G7

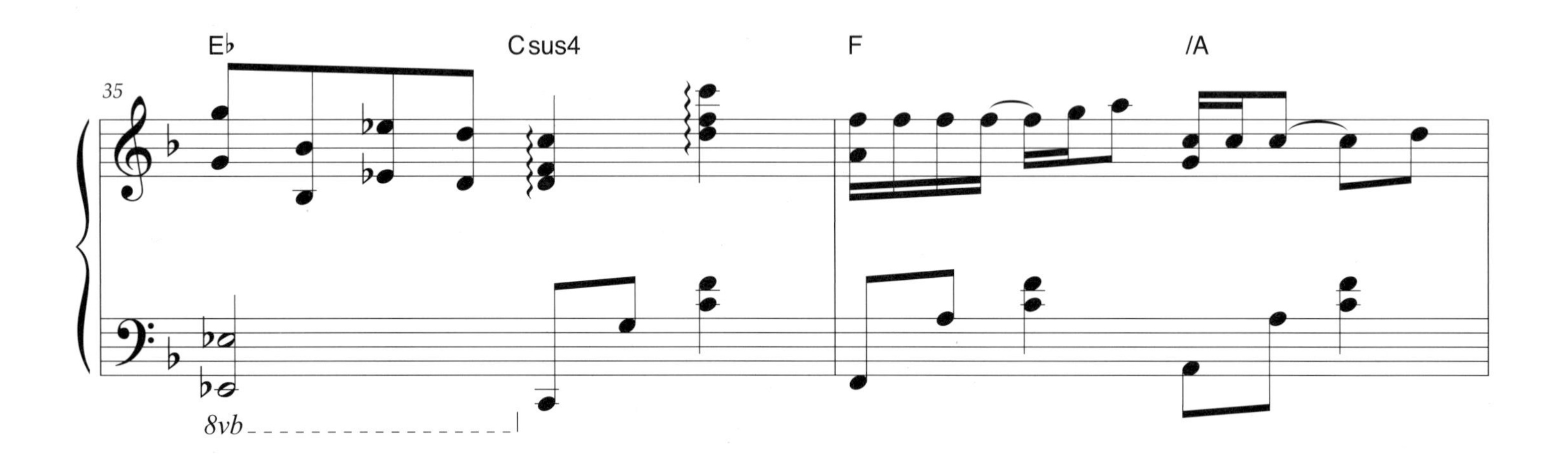
E♭
Csus4
F
/A
8vb

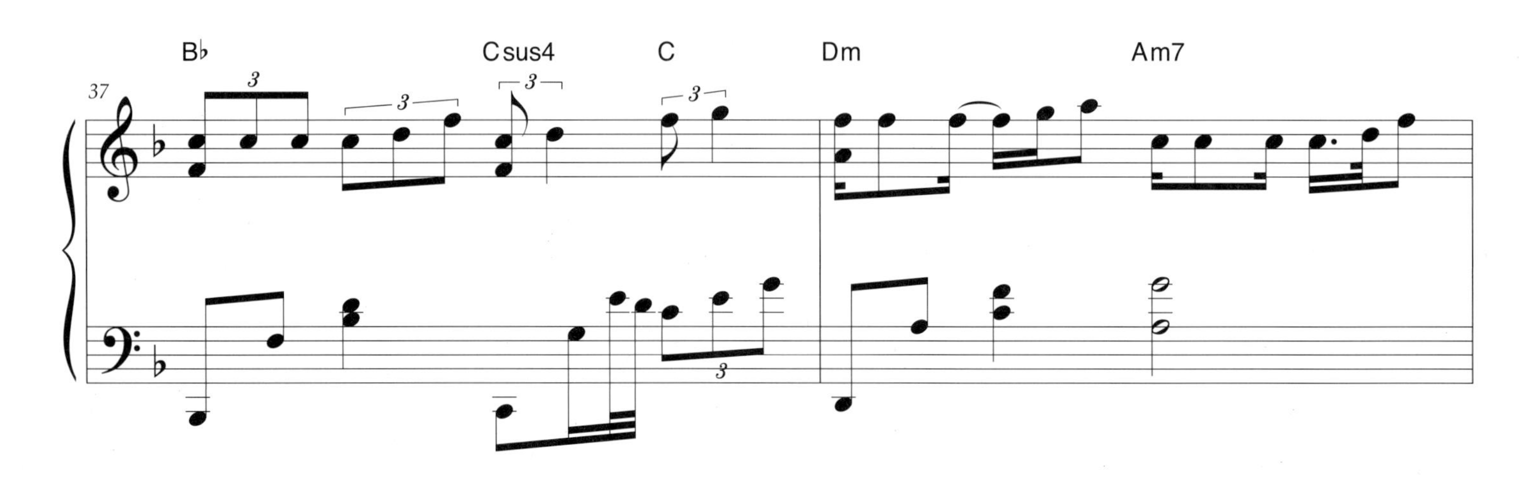
B♭
Csus4
C
Dm
Am7

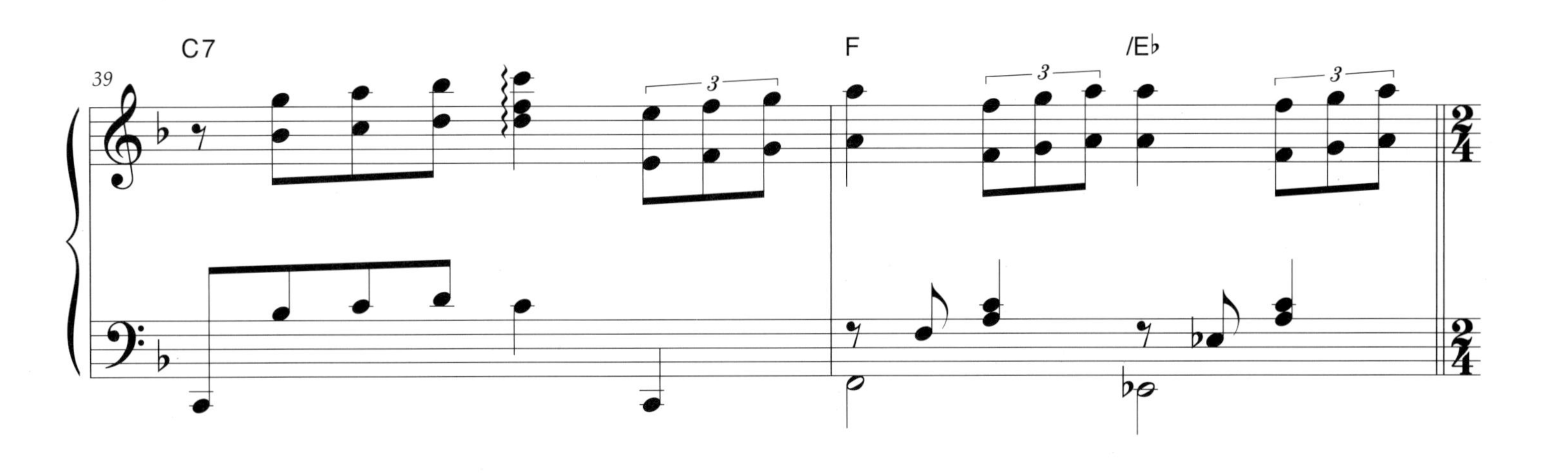
39
C7
F
/E♭
3

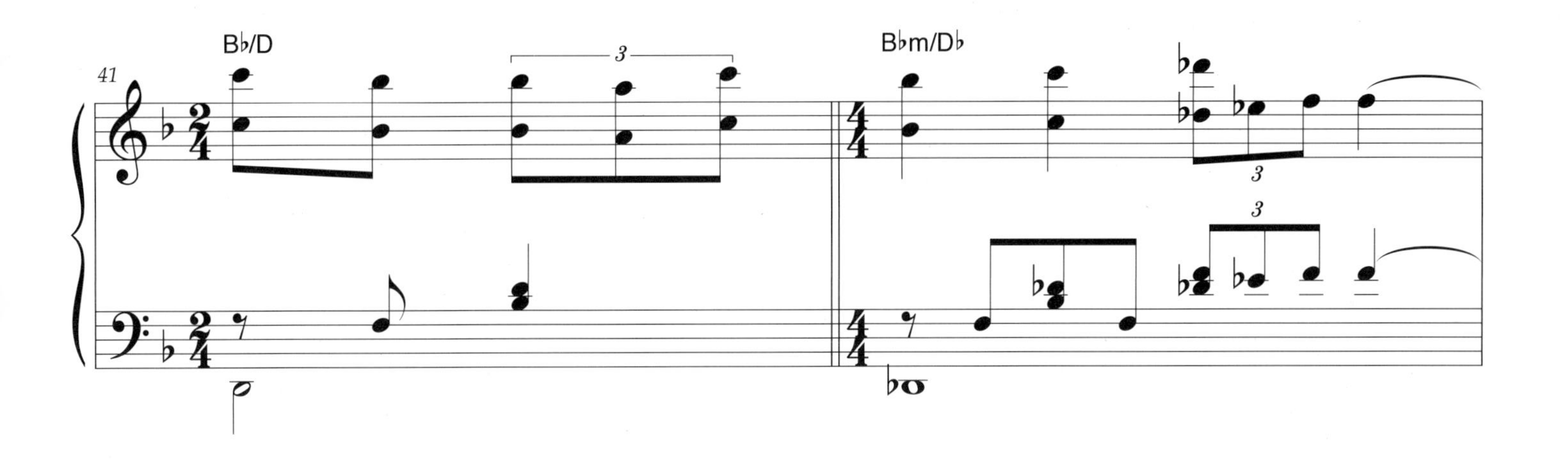
41
B♭/D
B♭m/D♭
3

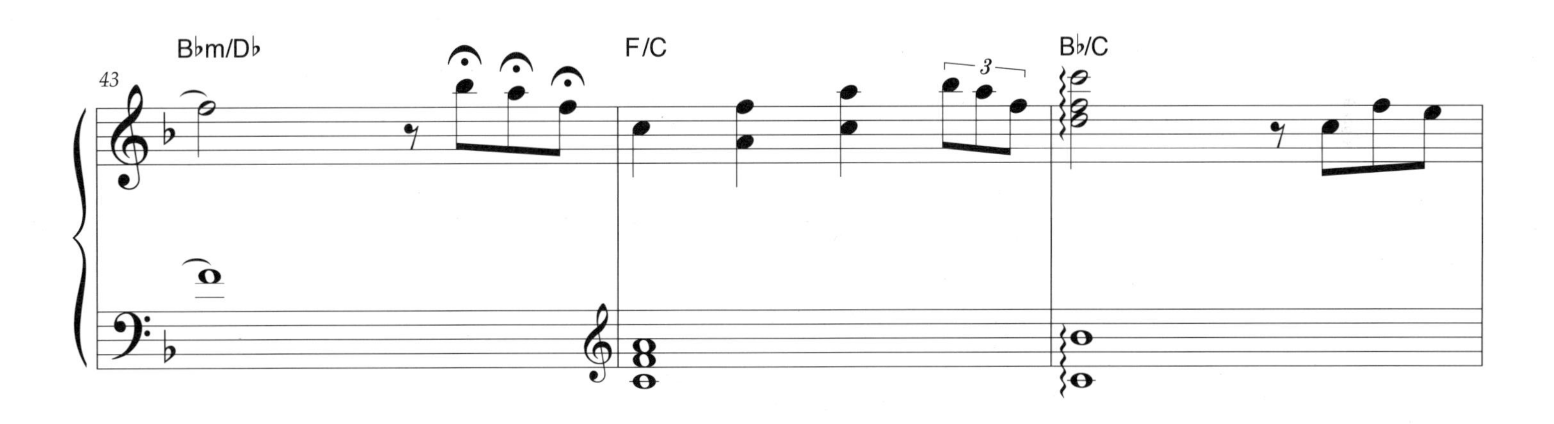
43
B♭m/D♭
F/C
B♭/C
3

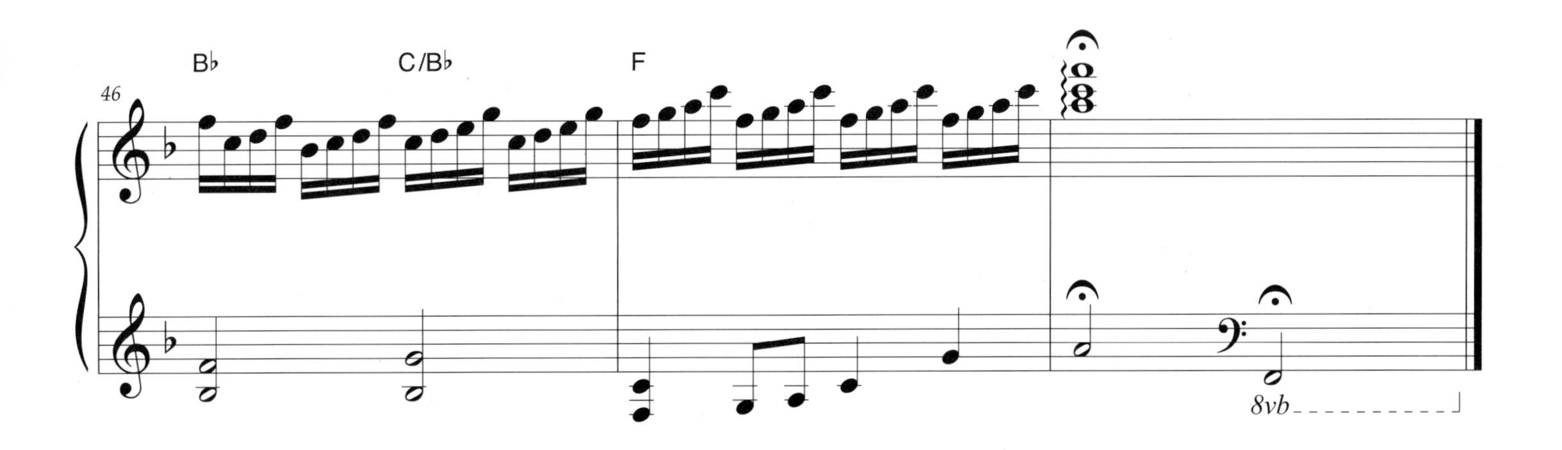
46
B♭
C/B♭
F
8vb

Special Sheet

Medley of the Little Mermaid

인어공주 메들리

Part of Your World · 저곳으로

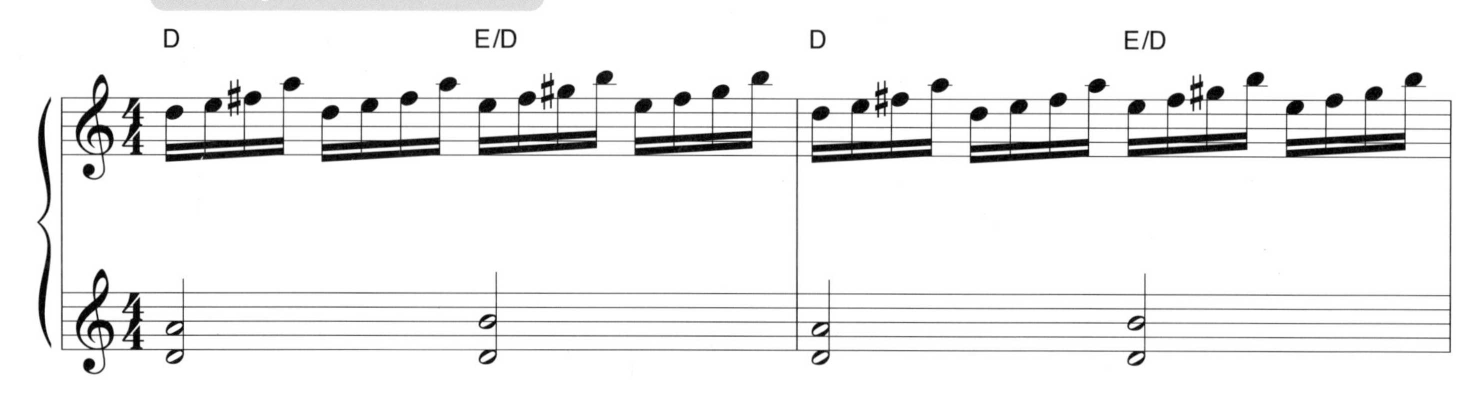

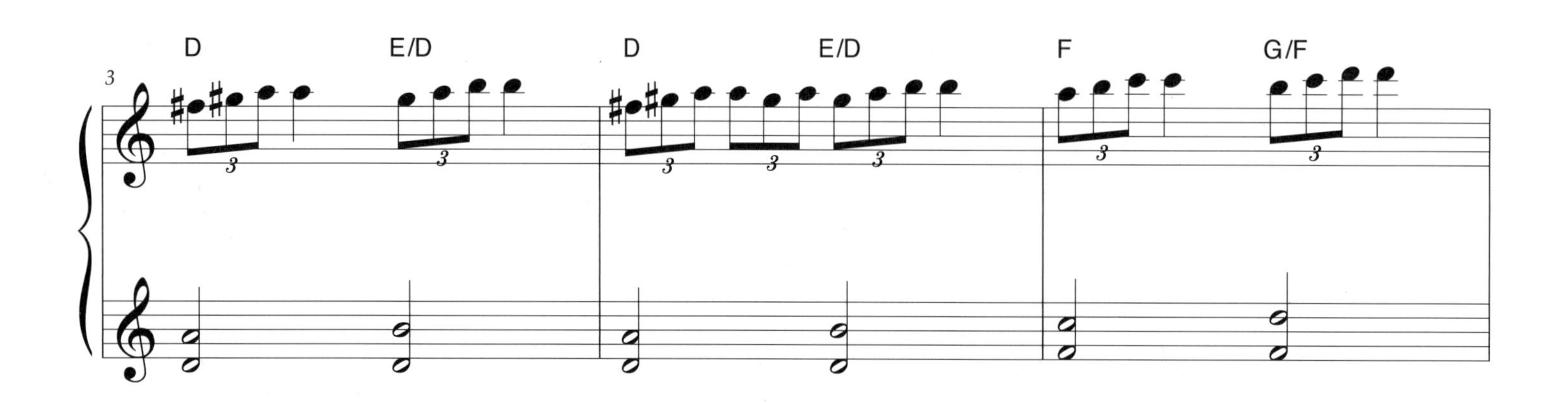

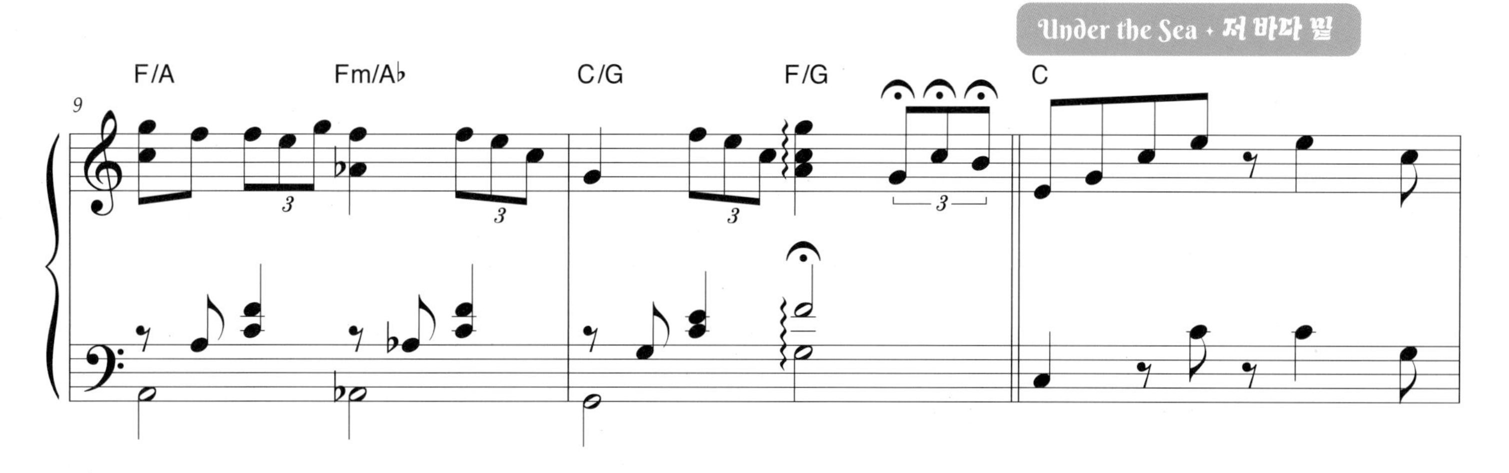
F/A
Fm/A♭
C/G
F/G
C
9
3
3
3
3

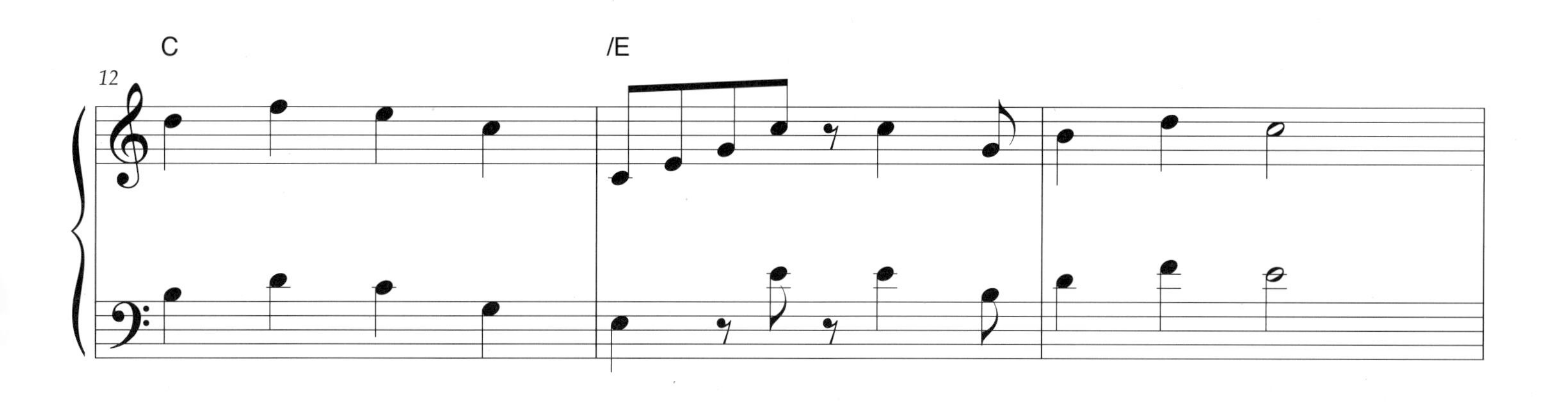
C
/E
12

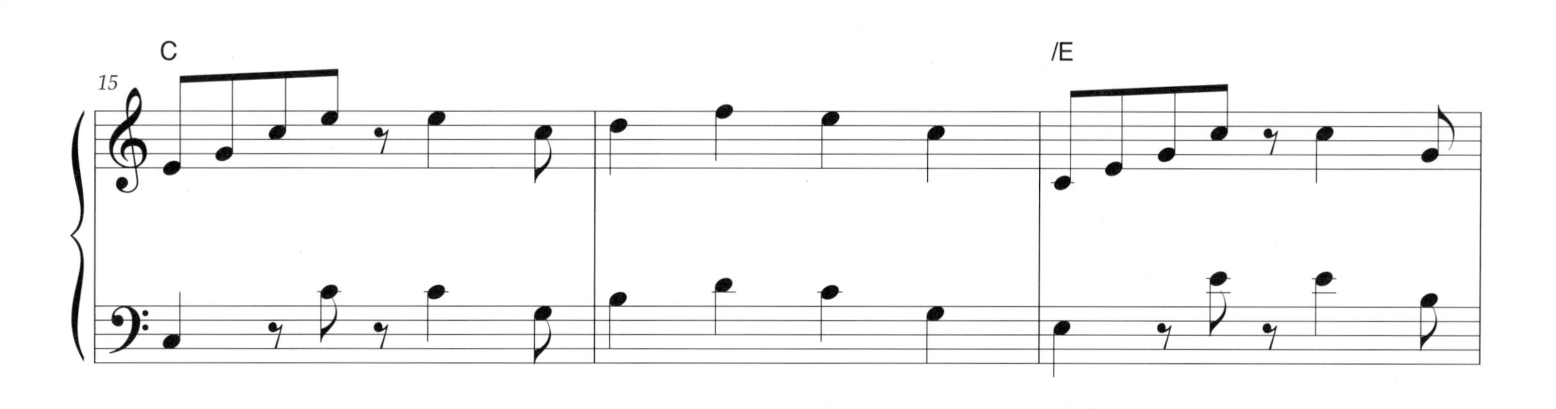
C
/E
15

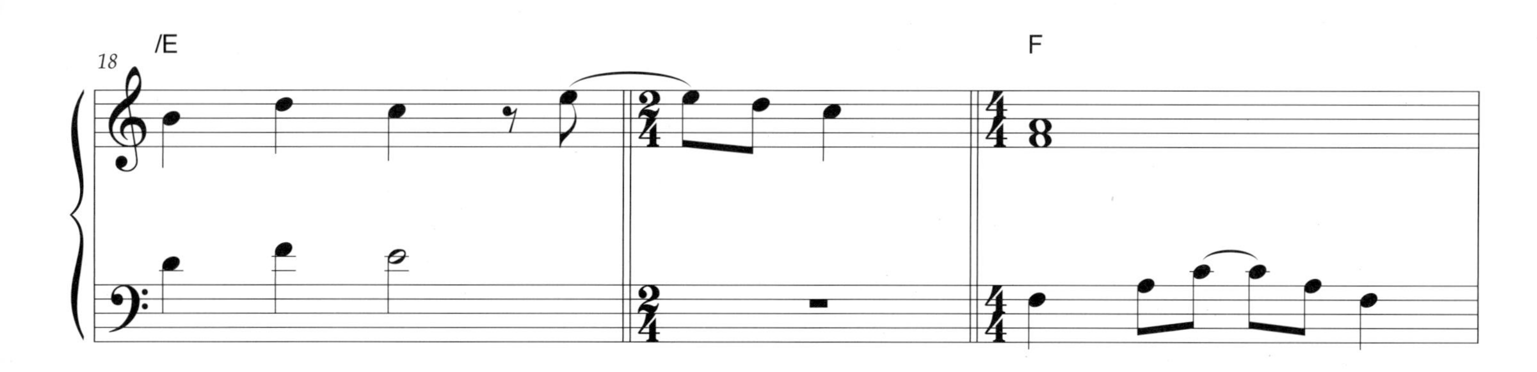
/E
F
18
2
4
4
4
8

C
G
C
21

F
G
C
24

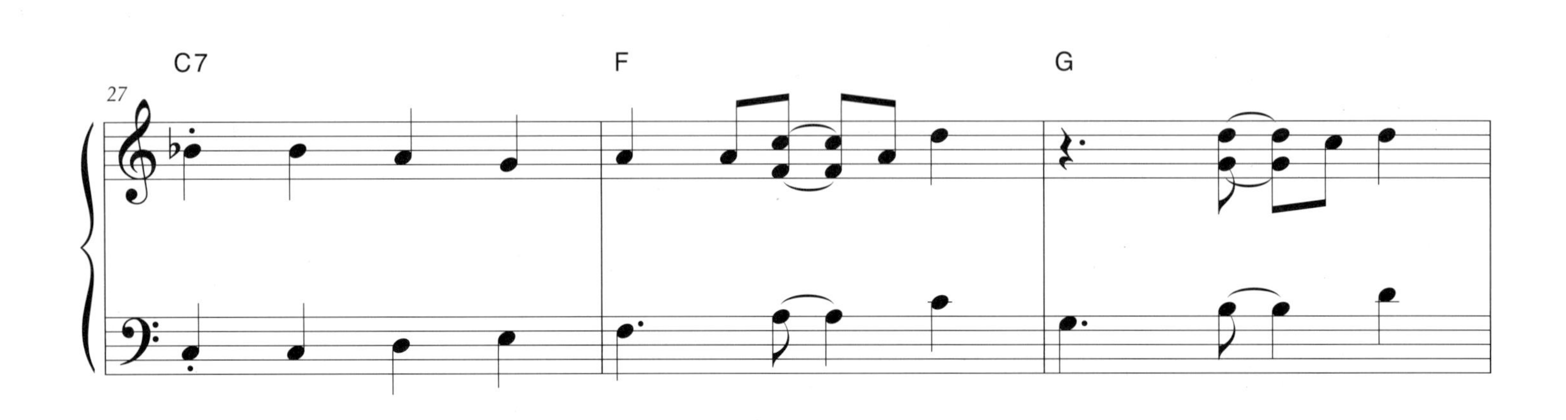
C7
F
G
27

Am7
D
F
30

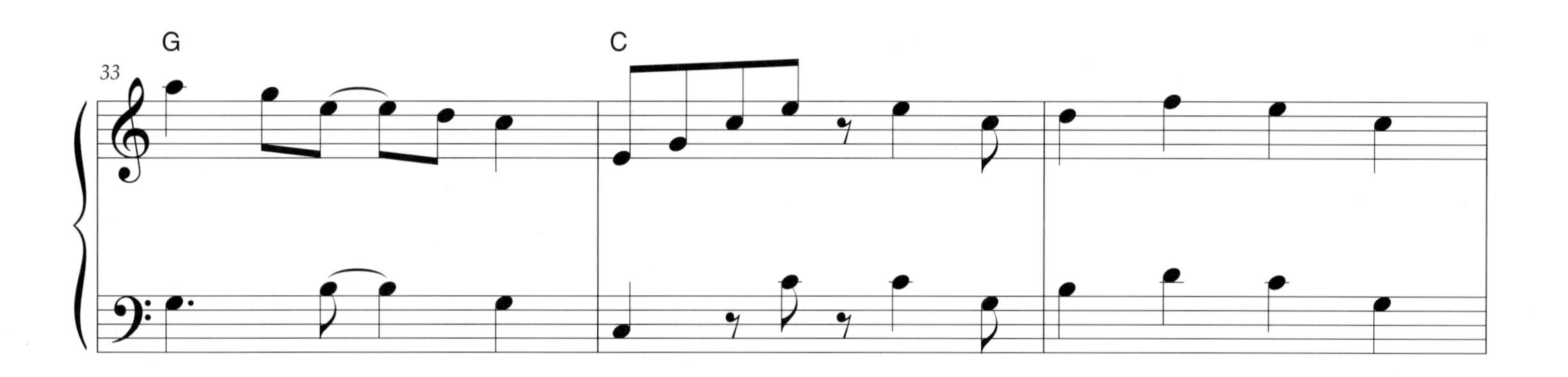

G
C
33

For the First Time · 처음으로

/E
C
36

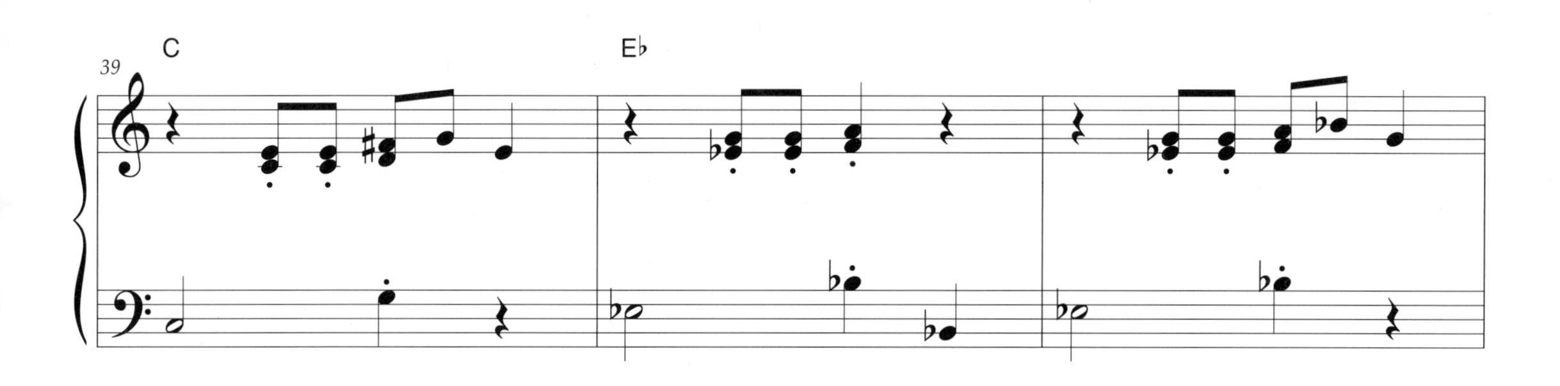

C
E♭
39

G
C
42
3
3

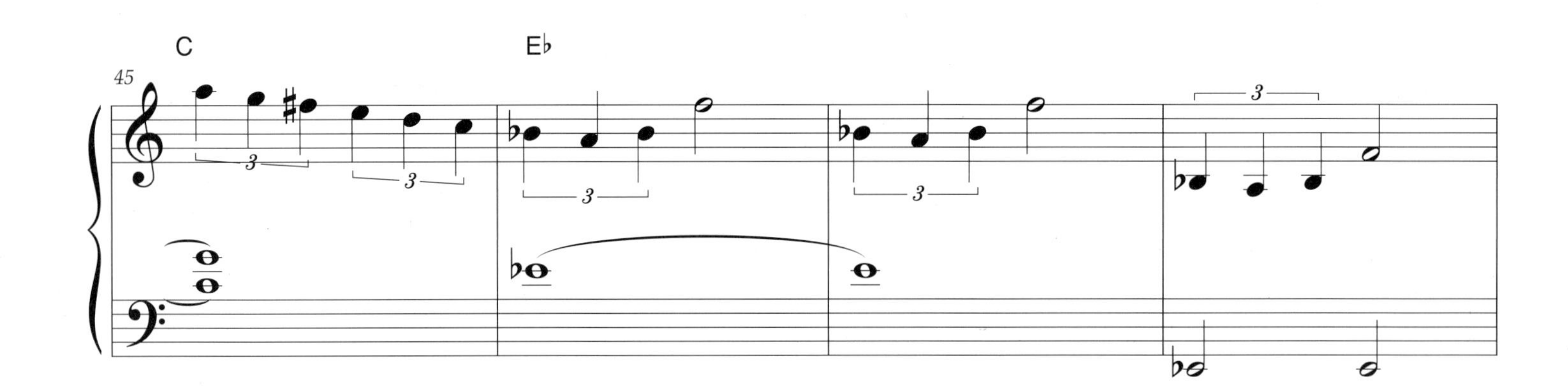
C
E♭
45
3
3
3
3
3

E♭
A♭
Cm7
49
3

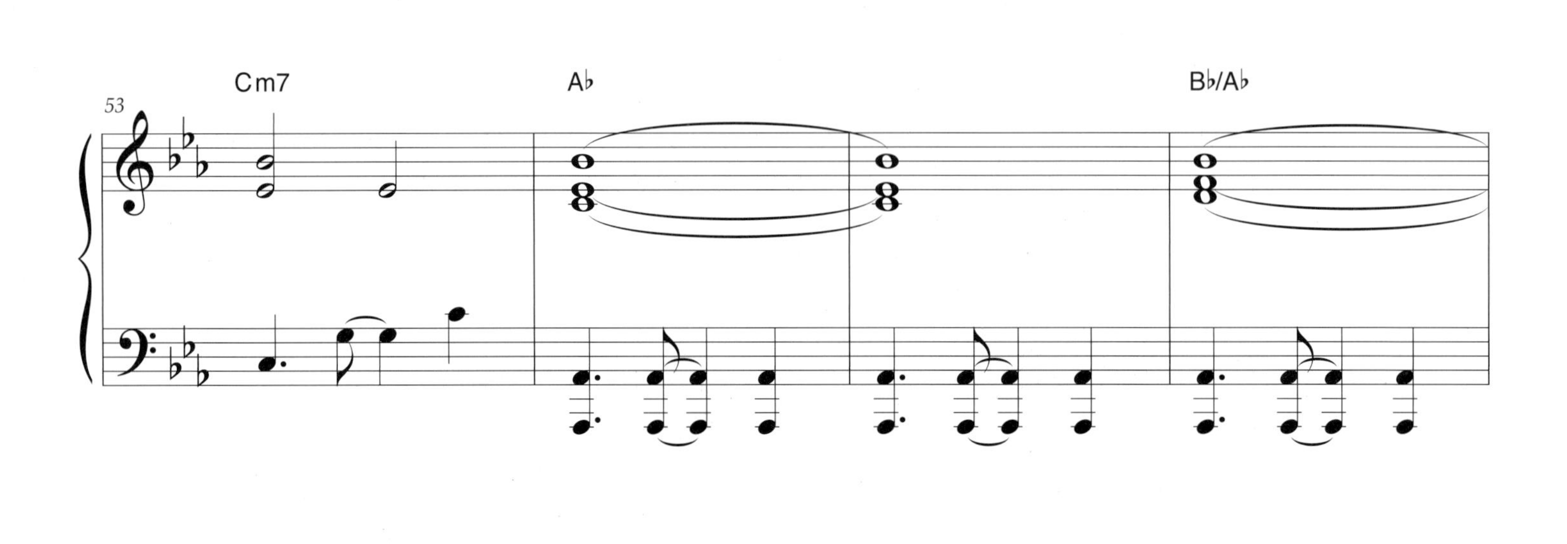
Cm7
A♭
B♭/A♭
53

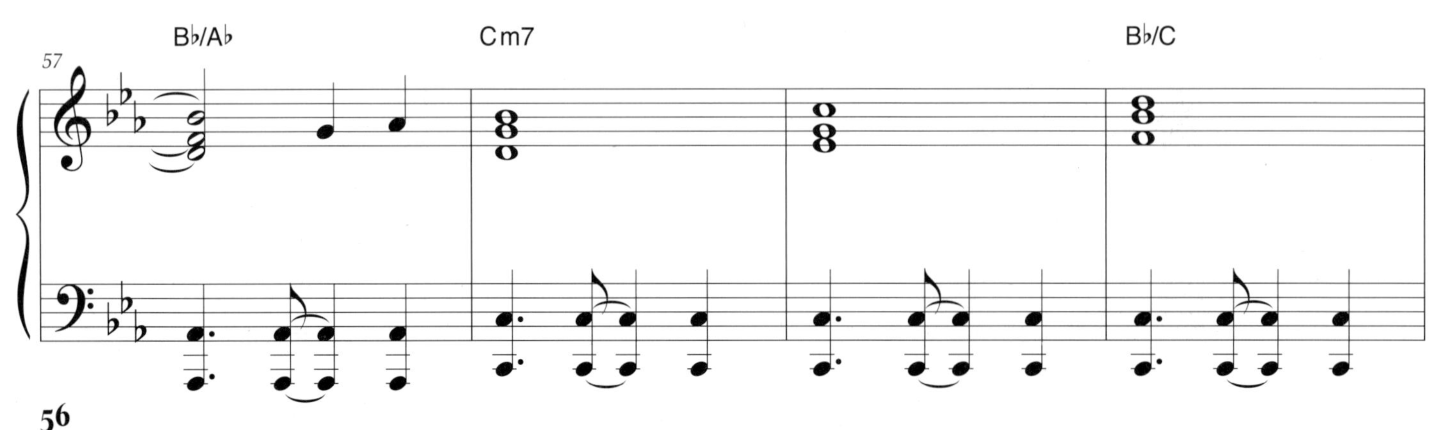
B♭/A♭
Cm7
B♭/C
57

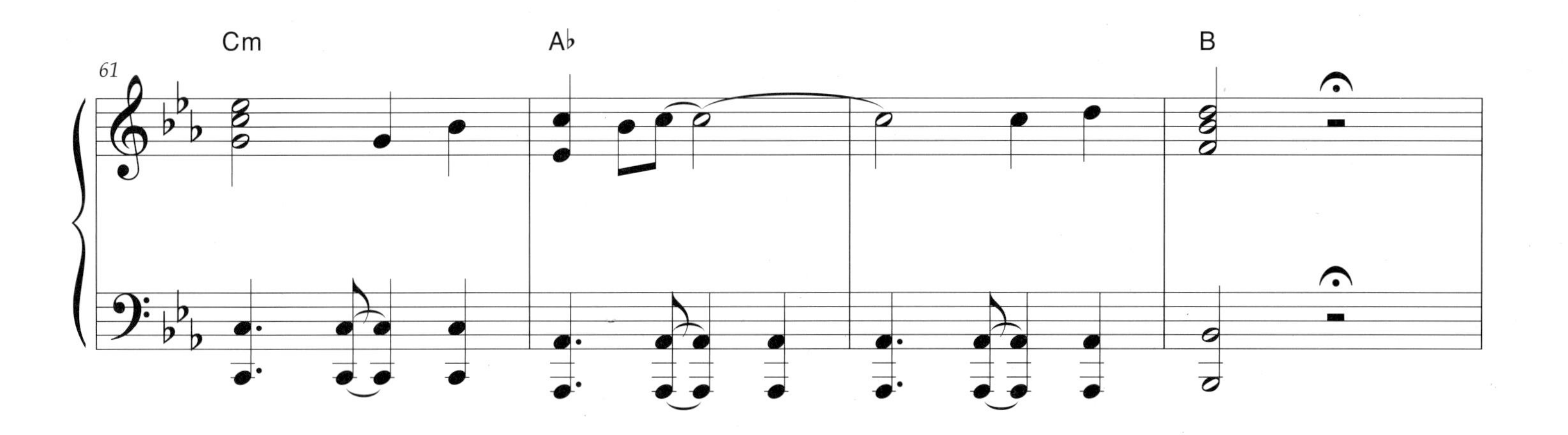
Cm
A♭
B
61

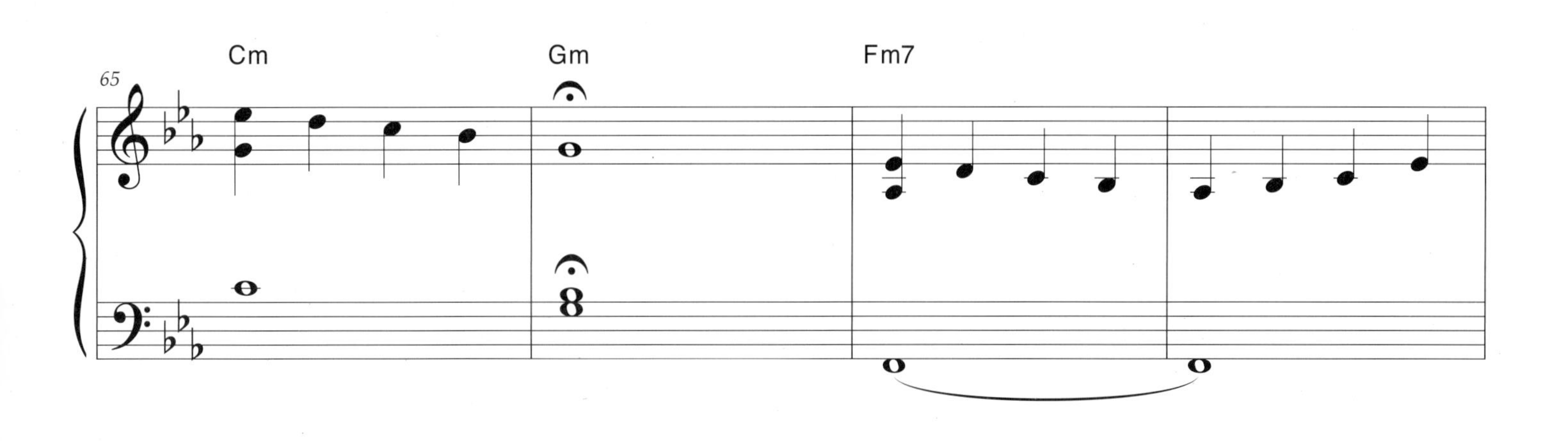
Cm
Gm
Fm7
65

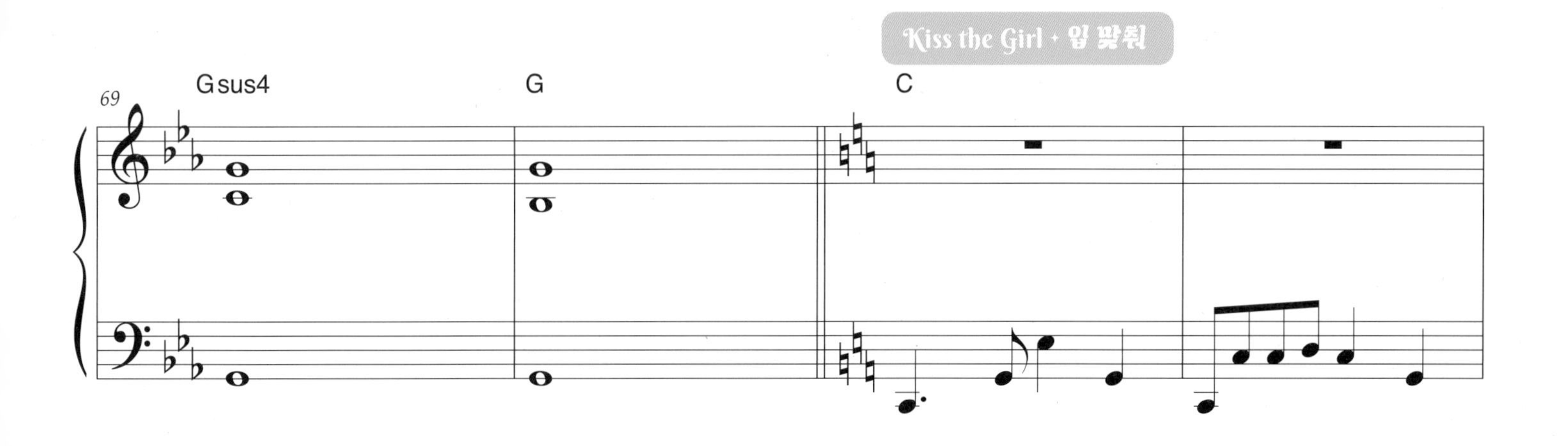
Kiss the Girl • 입 맞춰
Gsus4
G
C
69

C
F
73

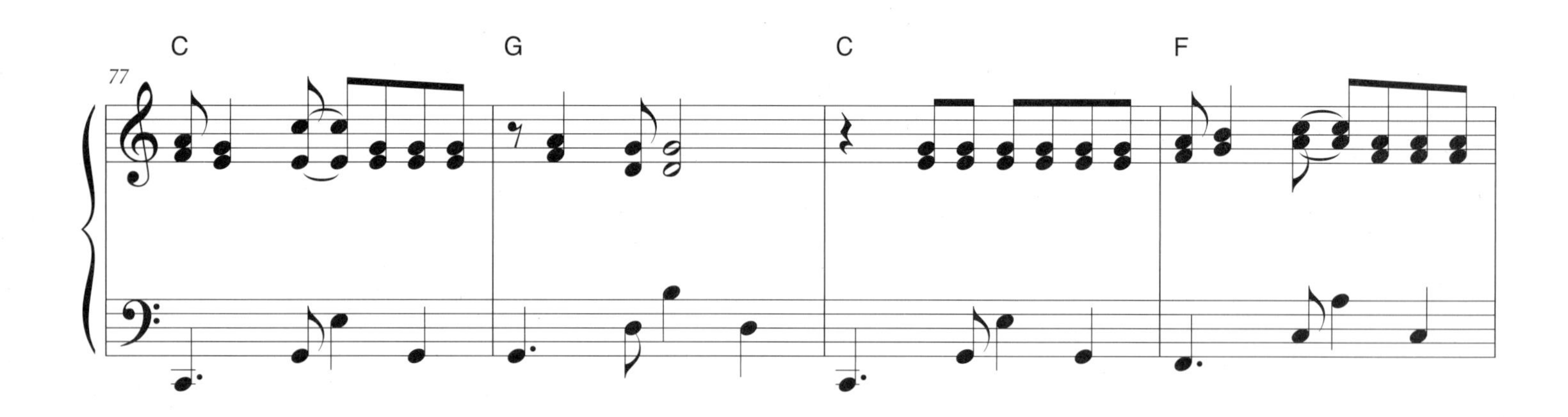
77
C
G
C
F

81
G
C
E
Am

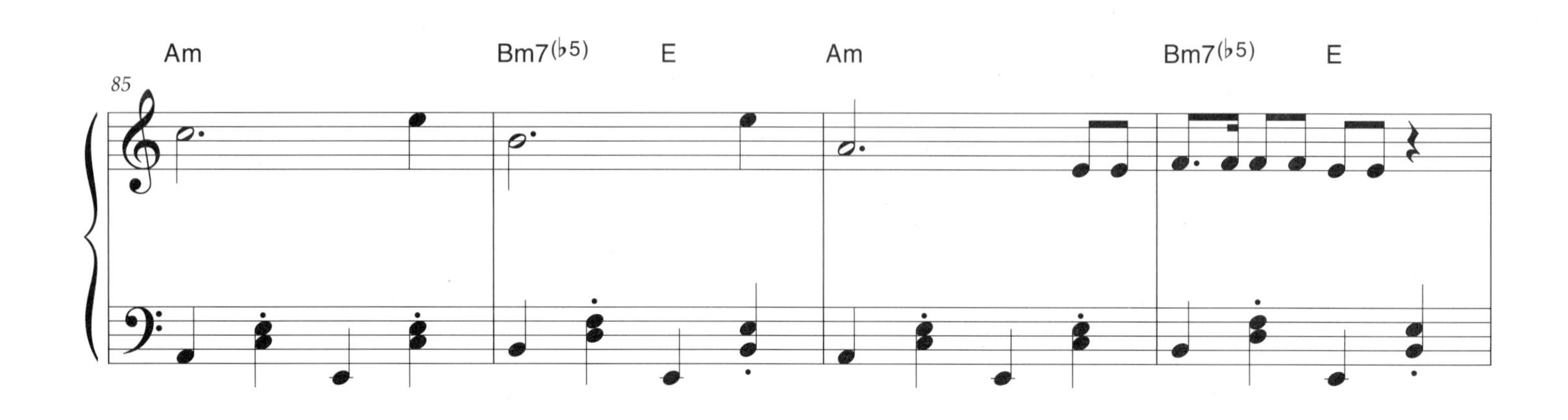
85
Am
Bm7(♭5)
E
Am
Bm7(♭5)
E

89
Am
B
E
Am

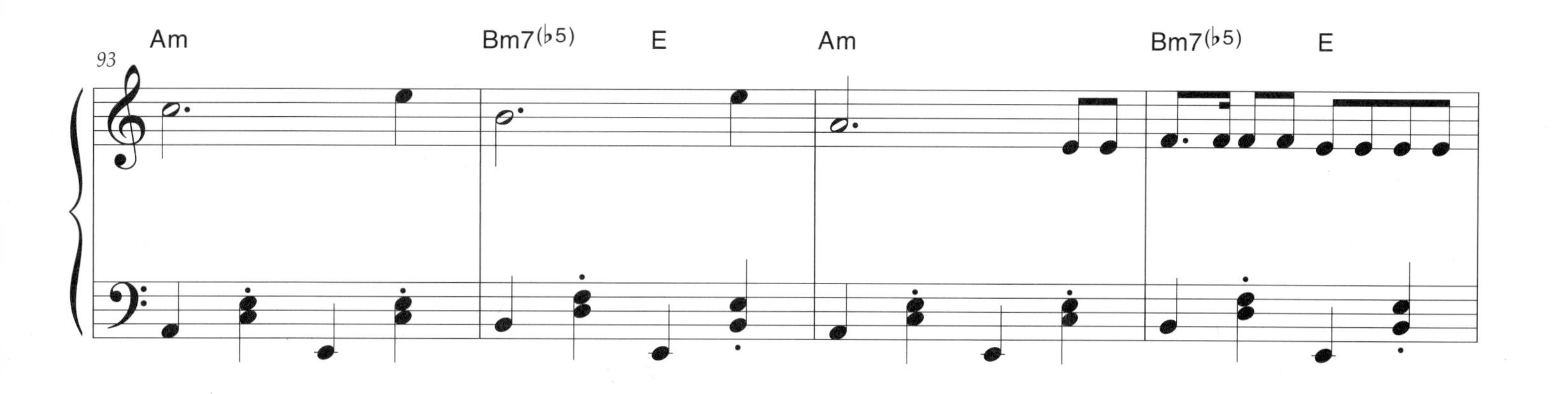
Am
Bm7(♭5)
E
Am
Bm7(♭5)
E
93

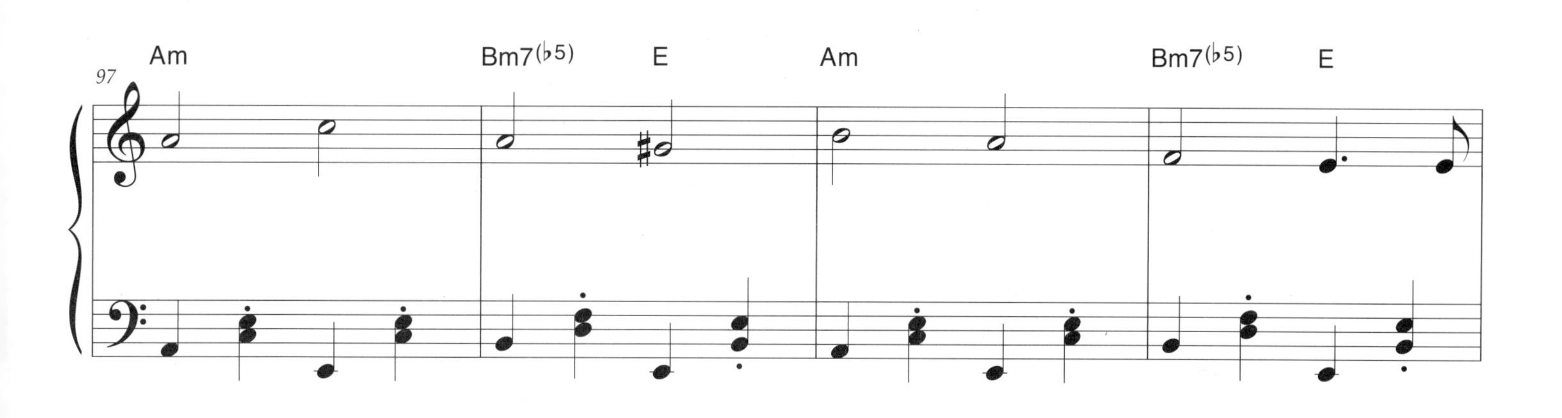
Am
Bm7(♭5)
E
Am
Bm7(♭5)
E
97

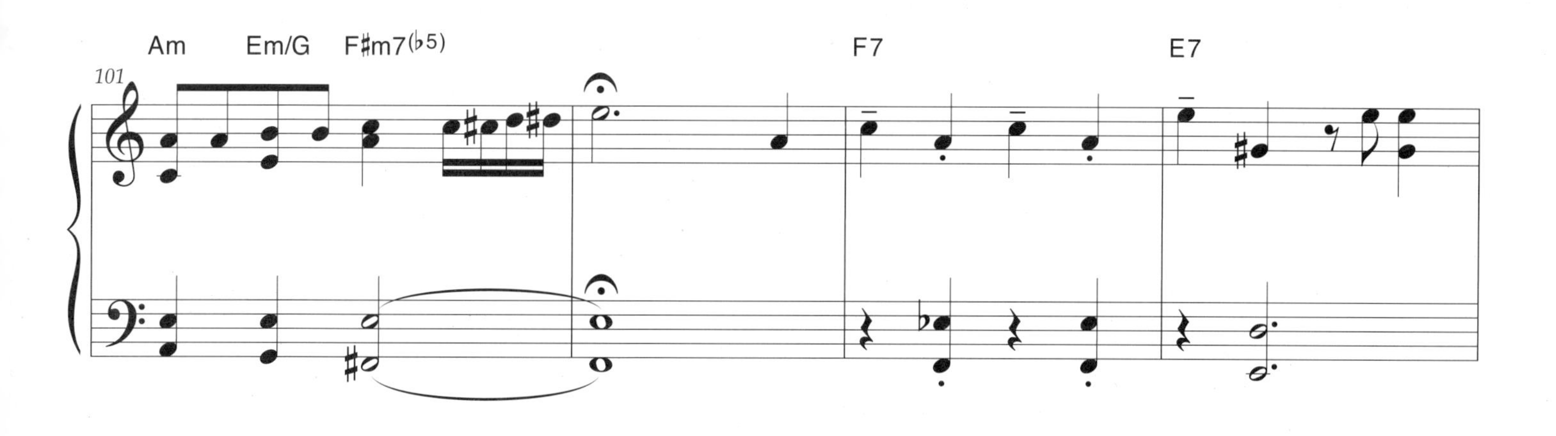
Am
Em/G
F♯m7(♭5)
F7
E7
101

Am
105

발행인 김두영
편곡 박상현
전무 김정열
편집 구본희
디자인 김수민
제작 유정근
전략기획 윤순호, 전태웅, 권지현, 정유진, 신찬, 한재현, 최준혁

발 행 일 2023년 7월 6일
발 행 처 삼호ETM (http://www.samhomusic.com)
경기도 파주시 문발로 175
마케팅기획부 전화 1577-3588 팩스 (031) 955-3599
콘텐츠기획개발부 전화 (031) 955-3589 팩스 (031) 955-3598
등 록 2009년 2월 12일 제 321-2009-00027호

ISBN 978-89-6721-487-6

© 2023, 삼호ETM
Copyright © 2023 Disney Enterprises, Inc. All rights reserved.

이 책의 한국어판 저작권은 월트 디즈니사와의 저작권 계약에 의해 삼호ETM에 있습니다.
저작권법에 의해 한국 내에서 보호를 받는 저작물이므로 무단전재와 무단복제를 금합니다.
본 출판물을 발행한 삼호ETM의 허락 없이는 어떠한 형태로든지 사용할 수 없습니다.
파본은 구입하신 곳에서 교환해 드립니다.

제 품 명 : 도서
제조사명 : 삼호ETM
제조국명 : 대한민국
사용연령 : 3세 이상
주 소 : 경기도 파주시 문발로 175
문의전화 : 1577-3588
제조년월 : 판권 별도 표기
KC마크는 이 제품이 공통안전기준에 적합하였음을 의미합니다.